Abdellah Taïa est né à Salé, au Maroc, en 1973. Il vit à Paris, où il prépare un doctorat ès lettres. Il a publié aux éditions Séguier *Mon Maroc* (2000), *Le Rouge du Tarbouche* (2005), chez Actes Sud *Maroc, 1900-1960. Un certain regard* avec Frédéric Mitterrand (2007), et aux éditions du Seuil, *Une mélancolie arabe* (2008) et *Le Jour de roi*, récompensé par le prix de Flore.

DU MÊME AUTEUR

Mon Maroc
Séguier, 2000

Le Rouge du tarbouche
Séguier, 2004

Maroc : 1900-1960
Un certain regard
(en collaboration avec Frédéric Mitterrand)
Actes Sud, 2007

Une mélancolie arabe
Seuil, 2008
et « Points », n° P2521

Lettres à un jeune Marocain
(choisies et présentées par Abdellah Taïa)
Seuil, 2009

Grandes Chaleurs
(photographies de Jean-François Banier)
Steidl, 2009

Le Jour du roi
prix de Flore
Seuil, 2010

Abdellah Taïa

L'ARMÉE
DU SALUT

ROMAN

Éditions du Seuil

TEXTE INTÉGRAL

ISBN 978-2-7578-0819-1
(ISBN 978-2-02-085945-5, 1re publication)

© Éditions du Seuil, mars 2006

Pour Mohamed, mon père

I

Elle dormait toujours avec nous, au milieu de nous, entre mon petit frère Mustapha et ma sœur Rabiaa.

Elle s'endormait très rapidement, et ses ronflements rythmaient nuit après nuit et de façon naturelle, presque harmonieuse, son sommeil. Au début, cela nous dérangeait, nous empêchait d'entrer tranquillement dans les rêves. Avec le temps, sa musique nocturne, pour ne pas dire ses bruits, était devenue un souffle bienveillant qui accompagnait nos nuits et qui, même, nous rassurait quand les cauchemars s'emparaient de nous et ne nous lâchaient qu'une fois que nous étions vidés, à bout.

Longtemps notre maison de Hay Salam, à Salé, n'a été qu'un rez-de-chaussée de trois pièces, une pour mon père, une autre pour mon grand frère Abdelkébir et la dernière pour nous, le reste de la famille : mes six sœurs, Mustapha, ma mère et moi. Il n'y avait pas de lits dans cette pièce-là, juste trois banquettes qui servaient, le jour, de canapés de salon. On vivait tout le temps dans cette

11

pièce, où il y avait aussi une vieille armoire gigantesque, monstrueuse, les uns sur les autres : on y mangeait, on y préparait parfois le thé à la menthe, on y révisait les cours, on y recevait les voisines, on s'y racontait des histoires qui ne finissaient jamais, et bien sûr on s'y disputait, gentiment ou violemment, cela dépendait des jours, de notre état d'esprit et surtout de la façon dont ma mère réagissait.

Pendant plusieurs années, mon enfance, mon adolescence, l'essentiel de ma vie s'est déroulé dans cette pièce qui donnait sur la rue. Quatre murs qui ne protégeaient pas vraiment des bruits de l'extérieur. Un petit toit pour vivre, enregistrer dans sa mémoire, dans sa peau, ce qui faisait notre vie, tout expérimenter, tout sentir et plus tard tout se remémorer.

Les deux autres pièces nous étaient presque inaccessibles, surtout celle d'Abdelkébir. Il était l'aîné, presque le roi de la famille. Celle de mon père était à la fois le salon des grandes occasions, la bibliothèque où il rangeait soigneusement ses livres en arabe magnifiquement reliés et son nid d'amour. C'est là que mes parents faisaient l'amour. Cela leur arrivait au moins une fois par semaine. On le savait. On savait tout à la maison.

Pour dire à ma mère son désir sexuel, mon père avait mis au point ses propres techniques, ses stratégies. L'une d'elles consistait tout simplement à passer la soirée avec nous, dans notre pièce. Lui qui était un grand parleur, lui qui aimait tout commenter, il devenait soudain silencieux. Il ne disait plus rien, pas un mot, pas un son ne sortait de sa bouche. Il ne fumait même pas. Il se recroquevillait dans un coin de la pièce, seul avec les tourments de son désir, dans les prémices de l'acte sexuel, déjà dans la jouissance, les bras autour de son corps. Son silence était éloquent, pesant, et rien ne pouvait le briser.

Ma mère comprenait assez vite, et nous aussi.

Quand elle acceptait ses propositions silencieuses, c'était elle qui animait la soirée par ses histoires du bled et par ses éclats de rire. Fatiguée ou bien en colère, elle se taisait elle aussi. Ses refus étaient clairs, mon père alors n'insistait pas. Mais une fois, vexé, il se vengea d'elle, et de nous par la même occasion (alors que nous étions complètement neutres dans leurs histoires sexuelles, du moins nous essayions de l'être), en coupant l'électricité dans toute la maison. Il nous priva ainsi cruellement de la soirée hebdomadaire des variétés internationales que nous suivions avec beaucoup d'attention à la télévision. Il nous mettait dans le même état de frustration que lui. Personne ne protesta. Nous le comprenions très bien. Pas de plaisir pour lui : pas de plaisir pour nous.

Pour le rejoindre dans sa pièce-salon, M'Barka attendait qu'on s'endorme tous. Elle nous abandonnait alors, rassurée, pour aller assumer son devoir conjugal et rendre son homme heureux. J'ai essayé plusieurs fois de rester éveillé pour assister à ce moment magique, le départ dans le noir vers l'amour. En vain. À l'époque je n'avais aucun problème pour dormir, je me mettais au lit et le noir au fond de moi devenait presque immédiatement un écran de cinéma. C'était un don de ma mère.

Durant ses nuits d'amour, les ronflements de ma mère n'étaient plus là pour nous accompagner, nous bercer. Nous aimer. Le lendemain, le réveil était dur, quelque chose nous manquait, mais M'Barka était déjà de retour parmi nous, à sa place, entre Rabiaa et Mustapha.

La nuit, mes rêves n'étaient pas sexuels. En revanche, certains jours, mon imagination s'aventurait facilement et avec une certaine excitation sur ce terrain torride et légèrement incestueux. J'étais dans le lit avec mes parents. Mon père dans ma mère. Le sexe dur et grand (il ne pouvait être que grand !) de mon père pénétrant le vagin énorme de ma mère. J'entendais leurs bruits, leur souffle. Au début, je ne voyais rien, tout était noir, mais à la fin j'étais à leurs côtés, regardant de près ces deux corps que je connaissais bien et pas si bien en même temps, prêt à leur donner un coup de main, excité, heureux et haletant avec eux. Mohamed prenait M'Barka tout de suite, parfois sans même la déshabiller. Leur union sexuelle durait longtemps, très longtemps. Ils ne parlaient jamais, et ils se donnaient l'un à l'autre en fermant toujours les yeux. Une parfaite harmonie sexuelle qui s'accomplissait naturellement. Ils avaient été faits l'un pour l'autre, de toute évidence le sexe était leur langage privilégié à travers lequel s'exprimait clairement l'image du couple qu'ils formaient. Même après avoir donné vie à neuf enfants, leur désir l'un pour l'autre était encore intact, mystérieusement et joyeusement intact.

Dans ma tête, la réalité de notre famille a un très fort goût sexuel, c'est comme si nous avions tous été des partenaires les uns pour les autres, nous nous mélangions sans cesse, sans aucune culpabilité. Le sexe, et peu importe avec qui on le fait, ne devrait jamais nous faire peur. Ma mère, à travers sa vie, son plaisir et ses goûts, m'a donné cette leçon que je n'oublierai pas et que j'essaie parfois naïvement d'appliquer.

Très souvent les nuits d'amour de mes parents finissaient dans le vacarme. Mes parents se disputaient après l'amour. Bruyamment. Violemment. C'était toujours la même histoire qui se répétait. Une histoire vieille et qui ne mourrait jamais.

Les cris de ma mère, hystérique, possédée, hors d'elle, nous réveillaient en pleine nuit.

« Tu vas me rendre folle ! Je l'ai juré des centaines de fois, des milliers de fois. Il était là pour toi, pas pour moi.

Il était venu te voir toi, pas moi. Tu ne t'en souviens pas ?
Vraiment ? Il voulait te proposer de venir l'aider à culti-
ver ses terres. Mon Dieu ! Mon Dieu ! Combien de temps
je vais supporter tout cela, cette souffrance, ces accusations, les mêmes accusations encore et toujours ? Toute
ma vie ? Non, non, non… J'en ai marre, marre, marre…
Il y a des limites à tout. Je ne peux pas tout supporter,
tout avaler, je ne suis pas aussi forte que tu le crois.
Combien d'années te faut-il encore pour me croire ?
Pourquoi m'obliges-tu à me justifier en permanence ?
À revenir encore et encore sur les mêmes choses, la
même histoire ? Je ne t'ai jamais trompé, tu le sais, ni
avec lui, ni avec quelqu'un d'autre. Tu veux que je le
jure ? Oui ? Je l'ai déjà fait de toute façon, ça ne me
dérangerait pas de le refaire… Tu veux ? Ne t'approche
pas de moi… Non… Laisse-moi tranquille, je t'ai donné
ce que tu voulais. Mon corps t'appartient mais ce n'est
pas une raison pour le maltraiter ainsi. Pourquoi tu
t'acharnes sur moi comme ça, qu'est-ce que je t'ai fait au
juste ? Je suis la mère de tes enfants après tout, l'aurais-tu
oublié ?… Sois raisonnable ! Pense à Dieu, au Prophète !
Tout cela, c'était il y a longtemps, bien longtemps, dans
une autre vie presque… Je ne me souviens même pas
quand de façon précise, et peu importe d'ailleurs… Ne
t'approche pas de moi… Laisse-moi… Non, pas la ceinture, tu es incapable de me battre, tu le sais, tu n'es pas

ce genre d'homme, laisse-moi te fuir… Laisse-moi sortir… Au secours ! À moi ! »

Ils venaient de se marier. Mon père n'était pas toujours à la maison. Il cherchait du travail ailleurs, dans les autres villages. M'Barka restait toute seule plusieurs jours dans la maison du douar de Oulad Brahim, pas loin de la « ferme » de son beau-frère. Ce n'était pas leur premier mariage. Mohamed avait épousé trois femmes avant de rencontrer ma mère. Aucune d'elles n'avait convenu à sa sœur Massaouda, qui décidait de tout pour lui. M'Barka était déjà veuve et mère d'une petite fille d'un an quand Mohamed se présenta chez son père pour demander sa main. Ils connaissaient bien l'un et l'autre la vie et ses pièges. Ils avaient déjà expérimenté l'amour et ses problèmes. Ils n'étaient en apparence dupes de rien. Ils désiraient maintenant une famille pour de vrai et pour toujours.

Un jour, Mohamed rentra plus tôt que prévu à la maison. C'était le jour du souk, un mercredi. Il avait ramené avec lui un panier rempli de légumes et fruits frais, de viande rouge et de menthe. Il était heureux, fier. Il retrouvait sa femme. Il avait gagné de l'argent. Il se sentait homme, l'homme de M'Barka. Malheureusement pour lui, Saleh, le cousin de ma mère, était là dans sa propre maison. Pire : il avait ramené lui aussi un panier plein à craquer de victuailles. Mohamed n'avait jamais pu supporter

Saleh, qu'il trouvait vulgaire et méchant. M'Barka et Saleh étaient assis l'un à côté de l'autre. Leur genoux se touchaient. Ils buvaient du thé à la menthe. Ils riaient. Ils jouaient presque, comme les enfants jouent aux mariés. M'Barka s'éloigna légèrement de son cousin quand Mohamed fit son entrée dans la maison. Celui-ci le remarqua. Il en conclut immédiatement que quelque chose s'était passé entre eux en son absence. Leur intimité le dérangeait au plus haut point, il en avait été immédiatement dégoûté, malade. Mais il fallait faire face à cette surprise désagréable, à cette situation terrible, au doute, à la jalousie qui était instantanément née en lui lorsqu'il les avait surpris si proches. Il fallait malgré tout bien accueillir Saleh, il était un parent. Un membre de la famille que non seulement Mohamed n'aimait pas mais qu'il n'aurait jamais invité. Saleh se permettait d'être à l'aise comme s'il était dans son royaume et cela rendait Mohamed fou.

« *Salam alikoum*, cousin de ma femme !

— *Wa alikoum salam*, mari de ma cousine !

— Vous avez l'air heureux tous les deux… Les voisins pourraient presque entendre vos éclats de rire… et soupçonner quelque chose de pas bien… surtout que je suis censé ne pas être là.

— On a toujours été très proches, M'Barka et moi. On a grandi ensemble, joué ensemble, fait des bêtises ensemble.

« – Et qu'est-ce qui vous faisait rire si fort ? Dites-le-moi que je rie moi aussi avec vous !

– Oh, des choses et d'autres, les anecdotes du bled… nos jeux d'enfance, les souvenirs… Et puis, tu le sais, les histoires du douar sont tellement drôles. M'Barka et moi, on a vécu tellement de choses ensemble, on pourrait passer des jours et des jours à se raconter nos souvenirs communs.

– Eh bien… je vois que je suis de trop, je vais vous laisser dans vos histoires drôles, dans votre complicité intacte… J'ai mal à la tête, je vais me coucher. Au revoir. »

Mohamed entra dans la chambre à coucher, ferma violemment les fenêtres et claqua la porte. Le message était clair. M'Barka se réfugia dans le silence. Saleh repartit aussitôt dans son douar. Jamais il ne revint voir sa cousine dans la maison de mon père.

Je n'ai jamais connu Saleh. Et pourtant il était très présent dans notre vie. Son prénom, très beau et doux, résonne encore dans la maison de Hay Salam, tellement il y a été prononcé, crié, insulté, maudit. Saleh était la source d'un malentendu absolu, une blessure à jamais ouverte, un mal définitif. Dans la tête de mon père c'était une trahison. La fin d'une certaine idée de l'amour et le début d'une sexualité débordante, violente et sans pudeur.

Depuis ce jour maudit, M'Barka n'a jamais cessé de se justifier, de raconter sa version de cette histoire, d'expliquer, d'analyser les moindres détails, de dire et redire son « innocence » face aux accusations de mon père. Mohamed découvrait le monde de la jalousie, il y resterait toute sa vie.

« Non, non, non… Je n'ai pas couché avec Saleh. Jamais. Arrête de me torturer, de me salir ainsi devant mes enfants. Que vont-ils penser de moi maintenant, les voisins, les bons comme les mauvais ? Ils vont se dire : Qui aurait cru ça d'elle, on dit bien qu'il faut se méfier de l'eau qui dort… Moi, une femme du déshonneur ? Une femme qui trahit, une putain ? Jamais de la vie, tu entends, vous entendez tous, jamais de la vie ! Tu ne me crois pas ? Tu veux que je le jure sur la tête de mon père ? Tu veux ? Mais à quoi bon ! Je l'ai déjà fait et cela ne t'a pas empêché de revenir à la charge, de reprendre tes mots assassins, de continuer à me tuer à petit feu… Alors, peut-être… peut-être que lui, il en avait envie… qu'il avait envie de me baiser, mais pas moi, pas moi, tu entends… Tu veux que je le répète… PAS MOI… Je ne lui ai jamais donné l'occasion de me faire des avances, ni à lui ni à quelqu'un d'autre d'ailleurs… Tu vas me rendre folle… et tu es fou, fou, fou… Calme-toi… laisse ton sang refroidir… S'il te plaît, ne laisse pas le diable nous séparer, nous éloigner les uns des autres. Pense à notre saint Sidi

Moulay Brahim… Viens là… Il n'y a jamais rien eu…
Je le jure sur la tête de mon père. Je le jurerais sur le tombeau de Sidi Moulay Brahim si tu le voulais.»

On entendait tout. La voix très forte de M'Barka remplissait tout l'espace et portait très loin, les moindres détails de son histoire étaient livrés à tous, les proches comme les lointains, les amis comme les ennemis. Au début on n'osait pas intervenir, nous mêler de cette histoire si ancienne, si intime, si compliquée. Mais quand Mohamed prenait sa ceinture pour battre M'Barka, à ce moment-là, alertés par les cris affolés de ma mère, on courait tous à son secours. On se retrouvait dans le patio, les yeux rouges de sommeil, honteux, effrayés, au bord des larmes, pour décider quoi faire. On avait tous la même peur, qu'il ne la tue dans une crise de démence. Abdelkébir essayait chaque fois d'ouvrir la porte par la force. Elle était toujours fermée à clé.

Ma mère criait comme si elle allait rendre l'âme, comme si mon père était sur le point de lui planter en plein cœur le grand couteau avec lequel il sacrifiait le mouton pendant l'Aïd el-Kebir, réalisant ainsi nos pires craintes. On était chaque fois au seuil de la tragédie. Passer du drame à la tragédie est si facile. Heureusement, les saints que M'Barka ne cessait d'invoquer finissaient par intervenir en notre faveur et nous envoyaient un peu de leur paix.

M'Barka savait bien hurler, et elle avait raison. C'était ce qui la sauvait chaque fois.

L'hystérie est une maladie que je connais bien.

Les voisins les plus proches de notre maison intervenaient eux aussi parfois. Ils frappaient à notre porte et demandaient à celui ou celle qui leur ouvrait : « Qu'a-t-elle, votre mère ? Toujours aussi maltraitée par votre père ? » Que répondre à cette hypocrisie ? Comment défendre l'honneur de ma mère ? Et celui de mon père ? Que dire à des gens qui jouaient les sauveurs et qui s'empressaient pourtant de colporter les rumeurs les plus monstrueuses au sujet de notre famille ?

Non, ma mère n'était pas maltraitée par mon père. Leur histoire d'amour était comme ça, complexe, violente, torturée. L'amour vrai, celui qui dure et dépasse les années, se vit toujours de cette façon, passionnément, follement. Mohamed ne battait jamais M'Barka, il faisait juste semblant, il savait qu'il en était incapable. Il levait la main certes, mais n'allait pas jusqu'au bout. Ma mère, bien sûr, exagérait au maximum ses cris. Bonne comédienne, elle avait tout compris au jeu théâtral.

Comment la faire sortir ? Comment la tirer de cette prison et de ce paradis, loin de la jalousie furieuse de mon père, loin de l'ange devenu diable ? Comment la récupérer saine et sauve et la ramener dans notre pièce, chez nous, au milieu de nous ?

Sans avoir eu besoin de nous concerter, nous nous mettions tous à frapper à la porte, à pleurer, à supplier Mohamed de l'épargner cette fois-ci, rien que cette fois-ci. On frappait fort. On criait aussi. Et, toujours, on finissait par défoncer la porte qui était devenue avec le temps fragile, vidée de son intérieur. Une porte sans tripes, un cadre vide. On les retrouvait tous les deux, honteux comme deux enfants qu'on surprend en train de se livrer à des jeux interdits, mon père ne portant qu'un long caleçon, et ma mère presque nue dans sa chemise de nuit transparente. Abdelkébir allait alors la délivrer. Mohamed ne disait rien, il laissait faire son fils aîné. Abdelkébir entourait M'Barka de ses bras comme pour la couvrir et la ramenait dans notre pièce. On se mettait en procession derrière eux et on les suivait chez nous. Un peu plus tard, sans avoir dit aucun mot on éteignait les lumières et on faisait semblant de dormir.

Le silence de nouveau. Un silence absolu, lourd, agité. Momentané.

Dans le noir, quelques minutes après ce dénouement temporaire, la fumée des cigarettes de Mohamed traversait sa pièce, le patio et arrivait jusqu'à chez nous portant en elle son désarroi, ses regrets, et parfois ses pleurs.

23

Mohamed nous parlait enfin ! On le croyait très sexuel, il était en fait avant tout un sentimental.

Mohamed n'était pas un mauvais père. Il était un amoureux. Et cela justifiait tout à mes yeux.

À l'époque, j'en étais convaincu, M'Barka disait la vérité. Saleh n'était que son cousin, et rien de plus. J'étais incapable de l'imaginer cocufiant mon père avec lui.

Aujourd'hui, de loin, je me dis que tout est possible.

II

Il était là avant moi. Bien avant moi.

Il est né dans la campagne de Béni Mellal deux ans après le mariage de mes parents. Leur premier enfant ! Un garçon !

La vie de famille commençait sous de bons auspices. Un garçon est, quoi qu'il arrive, un signe positif, synonyme de bonne fortune, de richesse, de bonheur.

Il était le premier, l'aîné incontestablement. Mohamed et M'Barka n'hésitèrent pas longtemps sur le prénom à lui donner : Abdelkébir. Le serviteur du Grand ! Ils savaient, au fond d'eux-mêmes, qu'ils auraient assez vite d'autres enfants, d'autres serviteurs, mais celui-là resterait à jamais spécial à leurs yeux, le symbole de leur famille, leur avenir, leur nom pour des années et des années encore vivant.

Grâce à Abdelkébir, ma mère acquit enfin et définitivement une place légitime au sein de la grande famille Taïa.

Mon père décida de fêter cette naissance. Il allait vraiment changer de vie maintenant, ses jours et ses nuits ne seraient plus pareils. Une lumière nouvelle éclairait désormais son monde de façon palpitante, excitante, heureuse.

Une fête, oui, une grande fête s'imposait.

À l'époque Mohamed vivait encore dans la maison de ses parents, avec sa sœur Massaouda, qui ne se marierait jamais, et son frère aîné El-Bouhali, marié, lui, depuis longtemps. El-Bouhali ne lui avait pas encore déclaré la guerre. Plus tard il renierait mon père purement et simplement en prétendant qu'ils n'avaient pas le même père, que Mohamed, fils du péché, n'avait aucun droit à l'héritage. El-Bouhali garderait tout pour lui. Mohamed se retrouverait sans rien. Une certaine unité régnait pour l'instant dans la maison familiale. Ils étaient encore tous plus ou moins jeunes et l'argent n'était pas leur principale obsession. Seul le plaisir (de vivre, de faire l'amour, de manger) leur importait. Le plaisir d'être simplement là, capables d'être heureux ensemble. Le plaisir pour principe, pour guide.

M'Barka invita tout son douar à cette fête. Tout le monde vint célébrer avec elle ce nouveau départ dans la vie, seule la famille de son premier mari, mort à la guerre, qui lui avait retiré la garde de sa fille Amina suite à son remariage, ne s'était pas déplacée, mais cela ne l'étonna pas. M'Barka tenait à les inviter malgré tout. Les guerres entre clans familiaux, elle les avait subies trop longtemps. Débordant de joie, d'optimisme, elle désirait réconcilier tout le monde pendant cette fête. Elle oublia le mal qu'on lui avait fait, elle essaya d'oublier la capacité des autres à pratiquer le mal facilement et sans remords. Elle se leurrait évidemment. Le bonheur des uns ne fait pas nécessairement aussi le bonheur des autres.

Mohamed acheta un mouton, une vache et une dizaine de coqs. Il voulait même acheter un chameau, mais M'Barka l'en empêcha, elle avait peur du mauvais œil. Elle savait de quoi certaines femmes du douar étaient capables. Elle se doutait bien qu'on allait inévitablement lui jeter un sort. La jalousie des autres, même quand on n'a rien, elle en avait l'habitude, et elle savait comment l'éloigner, s'en éloigner.

Abdelkébir devait être fêté, donner un sens joyeux à sa venue au monde s'imposait, mais, en même temps, il devait être protégé.

Comme toutes les femmes du Maroc, M'Barka avait son *fquih*, celui sur qui elle pouvait compter en cas de danger. Il s'appelait tout simplement El-Hadj, un vieillard connu à la fois pour sa piété, pour ses contacts avec le monde invisible, celui des djinns, et pour son pouvoir comme sorcier. Elle alla le voir. Il lui prépara très vite le *hjab* protecteur qu'elle devait laisser en permanence autour du cou d'Abdelkébir, et surtout pendant la fête de naissance. Il lui apprit également des incantations mystérieuses et lui conseilla de les réciter régulièrement durant la fête.

Tout se passa bien, finalement. Le bonheur semblait facile, à portée de main, éternel. Le mal n'existait plus. Sidi Moulay Brahim les protégeait tous, sa baraka les guidait.

Plus tard, Abdelkébir eut même droit à un privilège rare : M'Barka n'ayant plus de lait dans les seins, la femme de mon oncle, Fatéma, l'allaita à sa place pendant au moins quatre mois et devint, par ce lien, sa deuxième mère. Plusieurs années après, un jour que les gamins d'un clan adverse s'étaient vengés sur moi de la raclée que mon clan leur avait infligée, en tapant ma tête contre le mur, et que du sang incroyablement rouge avait coulé longtemps du côté droit de mon crâne, Fatéma me soigna avec tendresse en mettant du poivron rouge doux sur ma blessure. Enfin, pour me calmer et arrêter mes larmes, elle sortit son sein droit et me le mit dans la bouche. Je n'ai jamais compris ce mystère : Fatéma avait toujours du lait dans ses seins, même vieille. Je me souviendrai toute ma vie du goût très sucré de son lait, de sa consistance, de son odeur qui me rappelait bizarrement celle des fleurs du jardin public de Hay Salam. Je me vois encore tétant comme un bébé, le lait fort de Fatéma envahissant ma bouche, mon palais, ma gorge, mon estomac, mes intestins. J'aimais ça. J'adorais ça: cette connexion et ce liquide, ce bien-être et cet amour, cette jouissance et cette douleur. J'avais huit ans quand ce double événement se produisit.

Longtemps sourde, retardée, la guerre entre mon père et son frère finit par éclater. Mohamed et M'Barka, vaincus, ne sachant que faire devant tant d'injustice, abandonnèrent tout et partirent à la ville, d'abord à El-Jadida, ensuite à Rabat et enfin à Salé. Curieusement, et je n'ai jamais su pourquoi, la famille de mon oncle choisit elle aussi quelque temps après de quitter la campagne pour venir s'installer dans la même ville que nous. Seules trente minutes à pied nous séparaient d'eux. Ainsi, malgré les problèmes, les rancœurs, les haines et les disputes incessantes, un semblant de relation normale fut maintenu entre les deux frères et les deux familles. Un proverbe arabe dit que le sang ne deviendra jamais de l'eau. Vraiment?

Je n'ai jamais aimé mon oncle. Il est sec, jaune. Il ne ressemble pas à mon père. Il est toujours en vie, alors que chaque fois que j'ai eu l'occasion de le voir il me donnait l'impression qu'il allait rendre l'âme d'un moment à l'autre. Et je l'ai plus d'une fois souhaitée, cette mort, cette justice finale, ce rendez-vous sûr, cette vengeance méritée.

Mon père est mort il y a déjà huit ans. El-Bouhali, lui, est encore vivant. Un cadavre vivant.

Mon oncle, et je suis bien obligé de le considérer ainsi, a trahi tout le monde. Quelques mois seulement après la mort de Fatéma il se remaria avec une fille du bled qui avait l'âge du plus jeune de ses enfants. Il la répudia cinq mois seulement après pour en épouser une deuxième, puis une troisième. L'islam l'autorise à en prendre quatre en même temps s'il le veut.

Normalement, je ne devais pas aimer Fatéma non plus. J'étais témoin des nombreuses misères et des sales coups qu'elle faisait régulièrement à ma mère. Mais je n'y arrivais pas. Et je n'y arrive toujours pas. J'ai encore son lait en moi, j'ai la cicatrice sur mon crâne qu'elle soigna avec douceur et amour. Ils me rappellent son regard tendre sur moi et ce lien spécial qui nous unit, elle, Abdelkébir et moi.

Fatéma, pour les autres, était une mégère boulimique et une sorcière impitoyable.

Fatéma, je l'appelais Mama.

Abdelkébir aussi.

C'est mon frère ! Oui, mon frère, mon grand frère ! Il est à moi.

J'ai un grand frère… Un vrai grand frère ! Et il s'appelle Abdelkébir. Il est grand. Il est plus que mon frère. Nous avons le même père, la même mère. Il est le premier garçon, je suis le deuxième.

Dire aux autres cela, me le répéter maintes et maintes fois dans ma tête me remplit de fierté.

C'est enfantin, je sais. C'est même idiot, pour certains. Je m'en fous. C'est comme ça dans ma tête. Quand je pense à lui, je suis toujours le petit qu'il doit protéger des dangers de la vie, il est l'homme grand que je voudrais être un jour.

Mon frère est là depuis le début. Il est le deuxième chef de famille. Il a étudié à l'université les sciences politiques, il a lu je ne sais combien de livres, il a travaillé, pour nous, pas pour lui. Il a aidé Mohamed et M'Barka à construire la maison de Hay Salam. Il m'a donné des livres, ses livres, des musiques, sa musique. Et surtout il m'a emmené au cinéma : rencontrer le septième art a changé ma vie, mes yeux, et c'est grâce à lui.

J'ai un grand frère. Il a une moustache, une belle moustache noire et fine qui lui donne un air important, qui le rend beau.

J'ai un frère et quand j'étais petit, dans sa chambre, on regardait parfois la télévision ensemble, il me mettait avec lui dans son petit lit pour ne pas avoir froid. Sous la même couverture, on passait des heures collés l'un à l'autre. L'un dans l'autre. J'ai oublié les images qui défilaient sur l'écran de télévision. J'ai toujours dans mon cœur la délicieuse sensation que mon petit corps éprouvait au contact du sien, grand et dur.

Je connaissais son odeur. Je connaissais la peau de son visage, de ses oreilles, de ses mains. Je connaissais ses petites rides autour des yeux. Je connaissais sa façon de respirer. Je connaissais son silence.

Abdelkébir ne parlait pas. Et quand il le faisait, c'était comme un prophète (un poète) qui annonçait un nouveau verset sacré. Je retenais alors par cœur, et dans mon cœur, tout ce qu'il disait.

En son absence j'entrais par la fenêtre dans sa chambre fermée à clé et j'y restais des heures assis, ou bien allongé, comme ça, dans un état de suspension, à regarder ce qu'elle contenait. Des livres, des livres, des livres, et des disques. Le petit lit : le nôtre. Le bureau grand mais un peu bas. La chaîne hi-fi. Les vêtements sales un peu partout. Je baignais dans l'odeur forte d'Abdelkébir, son odeur d'homme : je l'adorais, je me vautrais dedans, je la mélangeais à la mienne et j'inspirais profondément. Comme un petit chien j'avais besoin de mon grand frère pour jouer avec lui, dormir contre lui, et parfois le lécher.

Sous sa bibliothèque il cachait des slips qui avaient une odeur particulière et étaient tachés de blanc à l'intérieur. Je mis du temps avant de comprendre. C'était son sperme.

Moi, même le sperme de mon frère je le connaissais. Je le touchais, je l'étudiais, je le reniflais. J'ai même failli une fois le bouffer. Ce sperme venait de lui. Il était lui.

Ça me semblait normal d'avoir ce genre de désir pour tout ce qui était en relation avec Abdelkébir. Et c'est, dans ma tête, toujours normal. Avec mon frère je ne m'interdisais rien. Tout était naturel. Tout ce qu'il était me convenait, me touchait à l'intérieur avec force et délicatesse.

À la fin de chaque mois, quand il recevait sa paie, mon frère nous achetait de la viande, beaucoup de viande, et des fruits qu'on n'avait pas l'habitude de manger : du kiwi, des mangues et des pamplemousses. Ma mère faisait un repas spécial. Le tagine aux pruneaux des grands jours. Le ventre plein, on était heureux, vraiment, l'espace d'une soirée. On priait alors. Pour lui. Sincèrement.

J'en pleure, tellement j'aimais mon frère. J'en pleure, tellement Abdelkébir m'a donné du bonheur. J'en pleure d'avoir un frère comme lui qui était là pour nous, pour moi.

Il n'y avait pas de salle de bains chez nous, juste les toilettes. Abdelkébir aimait laver ses cheveux plusieurs fois par semaine. Je l'aidais chaque fois : je versais lentement de l'eau chaude sur sa tête penchée au-dessus de l'évier de la cuisine. Si j'aime les nuques aujourd'hui, c'est que j'ai longuement observé celle de mon frère, fine et douce. J'avais très souvent envie de me pencher un peu plus et de l'embrasser tendrement. J'avais envie de tendre ma main vers elle et de la caresser, de la chatouiller gentiment et d'entendre le rire d'Abdelkébir. Mettre mes doigts dans ses cheveux, jouer, tirer, dessiner, gratter, rêver… J'avais envie de tellement de choses quand j'étais avec Abdelkébir. Je ne me contrôlais pas. Et je ne résistais pas.

Je lui séchais les cheveux et après, fasciné, je le regardais les peigner avec frénésie, avec force. J'étais en admiration devant ce mélange exquis de coquetterie et de virilité.

Tout, tout, tout en mon frère me plaisait et m'inspirait.

Le Pain nu de Mohamed Choukri, qui m'a révélé à la littérature, c'est lui. Qui d'autre chez nous, sinon

Abdelkébir, aurait pu acheter un livre pareil et, parce qu'il était interdit à l'époque, lui enlever sa couverture et le cacher, sous sa bibliothèque, au milieu de ses slips tachés de sperme ? J'ai lu et relu sans m'en lasser ce roman de la vie dure et terrible de Mohamed Choukri à Tanger.

Mon frère, c'était toute ma vie quand j'étais au Maroc.

Il m'a aidé à faire des phrases, à écrire des lettres. J'ai pleuré avec ses mots, en pensant à lui. Il m'a acheté un billet d'avion, un beignet au sucre un soir à la médina de Rabat, une brosse à dents bleue, un slip de bain blanc et un manteau d'hiver vert que je porte encore aujourd'hui.

Un jour il est parti. Il s'est marié. J'ai mis longtemps à m'habituer à son absence. Je ne m'y suis jamais habitué, en fait. Je n'étais pas le seul dans la famille à éprouver cette effroyable douleur. Je l'imaginais faire des choses avec sa femme et cela me dégoûtait, me révoltait. C'était une trahison, non de sa part, mais de la part de la société : un homme, un vrai, doit se marier. Certes, il a retardé cette étape le plus longtemps possible, mais cela n'a fait qu'augmenter la douleur quand il s'est engagé sérieuse-ment dans cette autre vie. Une autre femme, une étran-gère, l'avait pour elle toute seule désormais. Quand j'étais déprimé, cela me donnait des envies de meurtre, de suicide. À défaut de tuer l'étrangère, l'ennemie, je fis très sérieusement, solennellement, à Dieu cette promesse : moi, jamais je ne me marierais. Je tiendrais ma promesse.

Abdelkébir changea bien sûr. Les femmes, au Maroc, transforment avec délectation les hommes en esclaves, en chiens, elles les décervellent, les banalisent, les tuent à petit feu. C'est leur principale tâche. Abdelkébir devint un autre. Je ne le reconnaissais plus. Il ne s'appelait plus Abdelkébir : sa femme prononçait ce prénom de façon exagérément sophistiquée, elle le détruisait, lui enlevait son charme, sa puissance.

Abdelkébir n'était plus mon frère d'avant.

L'été. Fin juillet. 1987.

En attendant le départ du train Abdelkébir nous emmena, mon petit frère Mustapha et moi, dans un café qui ne ressemblait pas à ceux de Hay Salam (trop bruyants, exclusivement réservés aux hommes). C'était le très chic Lina's Café. Les gens prenaient sans se presser leur petit déjeuner, tous étaient habillés légèrement, avec élégance : les hommes, s'apprêtant à rejoindre leur travail, portaient fièrement des chemises à manches courtes et des pantalons en toile ; les femmes, quant à elles, s'exhibaient joyeusement dans des robes à fleurs (elles avaient ainsi l'air de voler loin de leur bureau, vers la mer, les plages, vers de mystérieux rendez-vous, vers un amant à coup sûr). Abdelkébir commanda pour nous : trois jus d'orange, deux laits chauds, un café serré, trois petits pains au chocolat et deux mille-feuilles. Un festin matinal ! Sa voix était plus ferme que d'habitude. Il faisait l'homme qui a une situation, et cela me rendait heureux. Il jouait parfaitement et j'étais fier de lui.

Je ne sais pas pourquoi il avait soudain décidé de nous emmener en vacances. À cette époque, il n'était encore qu'un petit fonctionnaire, et il ne gagnait pas beaucoup d'argent. Nos sœurs étaient exclues du voyage, et elles n'en étaient pas jalouses : les garçons entre eux, les filles entre elles. Il y avait là quelque part une certaine justice ! Les sœurs allaient enfin être libres de nous les garçons, de notre regard qui soi-disant les protégeait de l'extérieur et de ses dangers, elles allaient pouvoir faire ce qu'elles désiraient sans avoir à se justifier ni à demander l'autorisation. J'ai du mal à le reconnaître moi-même, j'étais comme tous les petits Marocains, j'avais mes sœurs à l'œil, je m'estimais investi d'une mission, j'étais le gardien de leur honneur, je jouais le rôle de l'homme, celui qu'on espérait me voir devenir – cela ne dura pas longtemps heureusement, assez rapidement, après ce voyage avec Abdelkébir, je renonçai à devenir cette sorte d'homme.

Nous partions pour la première fois de notre vie en vacances, et ensemble. Il n'y eut jamais de deuxième fois.

Tanger. On allait passer une semaine dans l'ancienne ville internationale.

Pourquoi Tanger ?

Je ne me suis pas posé la question : on partait en vacances et peu importait où, Marrakech, Essaouira, Fès, l'essentiel c'était que pour une fois les vacances de l'été ne signifiaient pas rester à la maison à ne rien faire, éternellement à la maison à en devenir fou. Aujourd'hui que Tanger occupe une place particulière dans mon cœur, je me demande si mon amour pour cette ville est né durant ce premier séjour ou bien après, lorsque j'y suis retourné à l'âge de vingt ans. Quoi qu'il en soit, tout ce que je savais de Tanger au seuil de ce premier voyage, c'est-à-dire presque rien, allait bientôt changer. Ma vision et mon idée de cette ville seraient pour toujours bouleversées. Tanger est à tout jamais associée dans mon cœur et mon esprit à mon grand frère. Grâce à lui, un autre nouveau monde s'ouvrait devant moi. J'en étais à la fois heureux et effrayé.

Après le copieux petit déjeuner, nous revînmes à la gare de Rabat-Ville pour prendre notre train. Sur le chemin j'achetai un petit cahier pour dessiner. Pourquoi ? Je ne le savais pas. Je ne m'en souviens pas. Peut-être pour imiter les enfants des riches.

Dans le train, sur un coup de tête, je décidai d'attribuer à ce cahier un autre rôle, celui de journal intime. Vraiment intime.

Mardi

Nous avons pris le train ce matin à 9 heures. Au début il était presque vide. Puis, en s'arrêtant aux gares de Salé et Kenitra, il s'est vite rempli. Le compartiment où nous nous trouvions n'avait pas de porte, et heureusement, car après seulement une heure de voyage il y faisait déjà très chaud, et tout le train était devenu comme le hammam de Hay Salam un jeudi soir, la veille du jour saint.

Mustapha, je suis injuste, je le sais, je ne me souviens plus de ce qu'il a fait, de comment il était. De Mustapha, j'oublie souvent tout, je fais rarement attention à lui. Il a 10 ans, encore dans l'enfance. Et moi… moi je suis dans les troubles et les orages de l'adolescence.

Abdelkébir a lu pendant tout le voyage un gros roman dont je n'ai pas compris le titre, *Le Christ recrucifié* de Nikos Kazantzaki.

Abdelkébir, comme d'habitude, n'a pas parlé. Il n'y a pas de conversation possible avec lui. Il est là. On est avec lui. Dans le silence. On ne se regarde pas. De temps en temps il se contentait de nous poser cette question : « Ça va ? » Nous répondions, Mustapha et moi, en chœur, la même chose chaque fois : « Très bien grand frère. »

Mais moi, depuis quelque temps déjà, j'ai pris l'habitude de l'observer en douce. De l'étudier de la tête aux pieds, de me fondre en lui.

Je voyageais sur son corps assis juste en face de moi. Pendant tout le trajet. Il ne s'est rendu compte de rien. J'étais en lui et il n'en avait pas conscience.

Abdelkébir a 30 ans. C'est un homme. M'Barka, plus que tout autre dans la famille, le vénère, pour elle il passe avant tout le monde, et pour le lui prouver elle lui réserve toujours le meilleur de ce qu'on a, de ce qu'elle cuisine. Elle l'aime plus que nous. Et moi aussi je l'aime plus que les autres, tous les autres.

Il est resté absorbé par sa lecture durant tout le voyage. J'ai essayé de lire, de deviner sur son visage l'histoire de ce roman au titre énigmatique. Rien. Rien ne transparaissait. Est-ce une histoire d'amour ? Une histoire heureuse ? Triste ? Tragique ? Une histoire d'espions ? Rien. Aucun indice pour arriver à deviner le contenu du livre et ce qui se passait dans la tête d'Abdelkébir.

Cela m'a énervé. L'impossibilité de savoir ce par quoi son esprit était occupé me rendait furieux. J'avais bien envie de lui demander de me raconter l'histoire de son roman, mais c'était hors de question. Avec Abdelkébir, ce genre d'intimité est inconcevable, une barrière trop grande nous empêche de nous parler ainsi, naturellement, familièrement. Avec lui toute parole est réduite à son strict minimum.

Mais les miracles existent.

«Je te le passerai ce roman quand je l'aurai fini... si tu veux», m'a-t-il dit tout en poursuivant sa lecture.

Surpris, décontenancé, j'ai marmonné sans réfléchir à ce que je disais :

«Il est trop gros pour moi... beaucoup de pages...»

Le silence de nouveau.

Il est revenu à la charge quelques minutes plus tard.

«Tu n'es pas obligé de le lire en entier.

– Je ne connaîtrai pas la fin alors...

– Je te la raconterai.

– C'est vrai ?

– Oui.

– Mais il y a un autre problème... Ton roman est écrit en français, non ?

– Oui, où est le problème ?

– Je ne parle pas aussi bien que toi cette langue.

– Ce n'est pas grave si tu ne comprends pas tout, l'essentiel est d'avancer, de poursuivre la lecture toujours un peu plus... Et un jour, sans que tu t'en aperçoives, tu finiras par tout comprendre.

– Tu me le passes quand alors, ton roman ?

– Dans trois ou quatre jours, peut-être un peu plus... Je suis un lecteur lent. »

C'est tout. Un vrai miracle. Une conversation avec Abdelkébir. Enfin, le mot « conversation » est un peu exagéré. Des petites phrases. Et une promesse.

Nous sommes arrivés à Tanger vers 14 heures. La gare se trouve juste à côté du port, et la plage n'est pas loin.

Abdelkébir avait réservé une chambre avec trois lits dans un vieil hôtel qui donne directement sur la plage, sur la corniche. Hôtel Tingis. C'est un vrai palais qui tombe en ruine. On se croirait dans un décor de cinéma qui ne sert plus à rien, un décor sans vie mais rempli de fantômes.

Cet hôtel me fait un peu peur, il y a trop de coins sombres et il est presque vide.

Après avoir mis nos affaires dans la chambre, vaste, étrangement conçue, avec un plafond très haut, nous sommes sortis acheter des sandwichs, puis nous sommes rentrés immédiatement à l'hôtel. Nous n'avons croisé personne, à l'aller comme au retour.

Cet hôtel me fait vraiment peur. Je n'ose pas le dire à Abdelkébir, je ne veux pas qu'il me prenne pour une mauviette, mais en même temps j'aimerais bien qu'il me rassure en me prenant dans ses bras, ou bien en m'invitant à le rejoindre dans son petit lit comme on fait à Hay Salam, si je le lui avouais.

Nous avons mangé nos sandwichs (tous au thon) en silence, puis Abdelkébir a imposé une sieste – comme

M'Barka : c'est pour lui une habitude sacro-sainte. Sans conviction et sans râler non plus, Mustapha et moi avons essayé de faire comme lui. Nous dépendons complètement de lui et il faut par conséquent lui obéir.

J'aime obéir à Abdelkébir.

Je n'ai pas réussi à m'endormir. Abdelkébir, oui, et très vite. Il a ronflé, longtemps. Et comme cela m'empêchait d'attraper le sommeil, je l'ai observé, j'ai étudié son corps encore une fois. J'ai eu le lit du milieu. Je me suis mis sur le côté droit, tournant le dos à Mustapha.

Abdelkébir s'offrait à moi.

Il a fait très chaud. Il ne portait qu'un slip noir. Il dormait sur le dos et n'avait aucune couverture sur lui. Son corps est blanc, blanc-blanc. Il a un peu de poils sur la poitrine, beaucoup sur les jambes et les mollets, des poils très noirs et frisés.

Il n'est pas très fort, il est même, par comparaison avec d'autres hommes de Hay Salam, un peu maigre. Mais indiscutablement il fait homme. Homme : je ne sais pas comment le décrire autrement. Je sais que je ne serai pas l'homme qu'il est, l'homme qu'il sera de plus en plus avec les années.

Il dormait profondément. Ses ronflements, comme ceux de M'Barka, ne me dérangeaient pas finalement. Son ventre, presque plat, montait et descendait à un rythme régulier. Je montais et descendais avec lui, hypnotisé.

Le corps de mon frère était là devant moi tout l'après-midi. Je l'ai scruté, étudié comme un scientifique avec une grande attention de la tête aux pieds, m'arrêtant sur chaque détail. Le nez fin. Les yeux grands. Les sourcils bien fournis. Les cheveux drus que j'ai lavés tant de fois. Les lèvres bien remplies et sensuelles. La moustache maigre. Les joues pas tout à fait pleines. Le cou... La pomme d'Adam énorme. Les épaules qui tombent légèrement. La poitrine pas vraiment musclée. Les tétons noirs. Le nombril... Le slip noir et ce qu'il cachait. Les jambes fortes. Les genoux saillants. Les mollets musclés par des années de bicyclette. Les pieds tout petits et ravissants.

J'ai nagé tout l'après-midi dans ce corps inconscient du spectacle qu'il m'offrait. Ce corps qui est une partie de moi et qui est, en même temps, un autre moi.

Plus tard, vers 17 heures, Abdelkébir nous a emmenés à la plage qui grouillait de monde.

Vers 20 heures, nous avons dîné dans un restaurant chic sur la corniche. Je ne me souviens pas de ce que nous avons mangé (du poisson peut-être). J'étais fatigué et je n'avais qu'une envie : dormir. Abdelkébir l'a compris. Il nous a ramenés à l'hôtel vers 21 h 30.

Il est en train de se changer. Il va ressortir pour se promener.

Je suis en train d'écrire dans mon journal le compte

47

rendu de cette journée et je me demande bien où il va comme ça, bien habillé, élégant plus que d'habitude, beau, plus beau que d'habitude.

Je n'ai plus sommeil tout d'un coup.

Mercredi

Je me suis finalement endormi assez vite hier, je crois. J'ai rêvé toute la nuit de Tanger, que je ne connais pas vraiment encore. Je marchais seul dans des rues pleines de monde, des gens pas seulement marocains, des rues pas vraiment marocaines. Tanger était dans une autre vie, figée dans un passé relativement récent, mais dans lequel je n'avais pas de place.

À mon réveil, Mustapha dormait encore. Abdelkébir n'était pas dans son lit. J'ai tout de suite pensé qu'il avait passé la nuit dehors. Avec qui ? Où ?

Soudain il est entré dans la chambre, une serviette autour de la taille. Il venait de prendre sa douche du matin, il sentait bon, même de loin, le gel douche à la vanille. Il m'a dit «Bonjour» avec un sourire gentil, peut-être forcé, mais qui au fond traduisait un état de bien-être intérieur – et cela m'intriguait beaucoup. Sans réfléchir, j'ai répondu par une question : «Tu as passé la nuit ici, avec nous ?» Il a été surpris par mon audace. En guise de réponse, il a esquissé un autre sourire, qui exprimait à la fois de l'amusement et de la gêne, et m'a tourné le dos. Il a laissé tomber la serviette autour de sa taille, me révélant ainsi, presque fièrement, ses fesses.

Un choc !

Les fesses de ma mère, oui, je les ai vues, et même plusieurs fois, il y a très longtemps, dans un autre siècle, quand, enfant, elle m'emmenait avec elle au hammam des femmes. Je ne les regardais pas vraiment, elles passaient devant et dans mes yeux sans me déranger. Ses seins aussi, je les connais bien.

Les fesses de mon père, non. De Mustapha, non. Celles de mes sœurs, non plus, jamais.

Les fesses d'Abdelkébir étaient devant moi, moins de deux mètres me séparaient d'elles. Je pouvais même (j'en ai rêvé un instant) tendre la main pour les toucher, les palper, les voir mieux. Elles n'étaient pas grosses, loin de là. Elles étaient plutôt légèrement ovales, charnues sans être trop pleines. Elles avaient surtout du caractère, qu'accentuaient les quelques poils noirs qu'on devinait au milieu de la raie.

J'ai fermé les yeux quelques secondes.

Je les ai rouverts lentement. Mon cœur battait. Je ne savais pas si j'étais heureux ou bien effrayé, ravi ou bien sur le point d'avoir une crise cardiaque.

Abdelkébir était toujours devant moi, de dos. Il avait enfilé un slip noir (le même que celui d'hier?). Il était terriblement sexy. J'étais fier de lui. J'étais jaloux aussi.

Nous avons passé le reste de la journée à la plage, à nous baigner, à griller au soleil. Abdelkébir lisait toujours le roman de Kazantzaki. Nous lisions aussi, Mustapha et moi, des bandes dessinées en arabe qu'il nous a achetées hier. Pour Mustapha, Tarzan. Et pour moi, Rahan. J'aime Rahan, je l'adore, plus que Tintin, Superman, Spiderman, plus que Tarzan même.

Ce que j'écris dans ce journal me fait peur. Et si Abdelkébir le lisait?

Nous sommes toujours à la plage. Il est 17 heures. Abdelkébir dort maintenant, épuisé par le soleil et la lecture. Mustapha s'est fait des amis : ils jouent ensemble au football un peu plus loin.

Je suis allongé sur le ventre et je regarde Abdelkébir, lui aussi allongé sur le ventre. Ses fesses, enveloppées dans un maillot de bain noir, continuent de m'appeler irrésistiblement, elles m'obsèdent et je ne sais pas quoi en faire. Ce n'est pas qu'elles soient belles, c'est juste qu'elles appartiennent à Abdelkébir. C'est fou! Je suis fou. Il faut que j'arrête de les fixer du regard.

Impossible de penser à autre chose.

Qu'est-ce que je veux?

Est-ce que je vais écrire ici tout ce qui me passe par la

tête ? Tout ce qu'Abdelkébir m'inspire ? Et ces fesses…
Ses fesses… Mon Dieu ! C'est horrible ! Quel bonheur !

Je vais essayer de dormir moi aussi.

Dors Abdellah, dors ! C'est un ordre.

Il est 00 h 20.

La nuit en été ne finit jamais parce qu'elle ne commence jamais.

Après la plage nous sommes rentrés à l'hôtel pour
prendre une douche et changer de vêtements. Ensuite,
Abdelkébir nous a emmenés pour une promenade dans
les rues de Tanger.

D'abord la ville nouvelle. Nous avons marché tout le
long de l'avenue Victor-Hugo qui grouillait de monde.
Comme sur le boulevard Mohamed-V à Rabat, les gens
étaient habillés chic, les filles surtout, on aurait dit qu'ils
se rendaient à une réception. Les Tangérois ont l'air
perdu. J'ai l'impression qu'ils ne sont pas marocains.
D'ailleurs ils parlent presque tous assez bien l'espagnol.

L'Espagne justement, nous l'avons aperçue depuis une
sorte de belvédère au milieu de l'avenue Victor-Hugo.
Il faisait nuit, très noir au loin. De l'autre côté de la
Méditerranée on pouvait voir clairement des lumières
scintillantes et un sémaphore assez orgueilleux qui semblait lancer des appels, des invitations, et en même
temps mettait en garde quiconque essayerait de traver-

ser le détroit, les dangers seraient nombreux et les rêves deviendraient vite des cendres, des vies à jamais brisées.

J'ai trouvé ce spectacle cruel, triste, cynique. Mais j'étais bien le seul, les promeneurs avaient l'air heureux. Peut-être que leurs rêves étaient encore intacts, forts, lumineux.

Avoir l'Europe juste au bout de son nez, et en permanence : je ne le supporterais pas longtemps, moi, j'en perdrais la tête.

J'ai fait part de ce sentiment à Abdelkébir. Comme d'habitude, il a été étonné de mes efforts pour briser la glace. Il a souri timidement sans me regarder. J'ai immédiatement senti le ridicule m'envelopper tout entier. Je n'avais rien dit d'intéressant en exprimant ce que je ressentais par rapport à cette maudite Europe juste en face. J'en avais presque les larmes aux yeux, tellement j'avais honte.

Cinq minutes plus tard, Abdelkébir m'a surpris en me demandant, sans me regarder : « Tu n'aimerais pas voyager en Europe un jour, alors ? » J'ai répondu du tac au tac, ravi de pouvoir enfin dialoguer avec lui : « Pour quoi faire ? L'essentiel de ma vie est ici ! » J'étais sincère. Mustapha a pris à son tour la parole et a répondu lui aussi à la question d'Abdelkébir : « Moi, quand je serai grand, j'irai vivre en Espagne. C'est beau l'Espagne, non ? » Abdelkébir a conclu : « L'Andalousie doit être belle, c'est même sûr… »

La médina de Tanger, tout en ressemblant à celles de Rabat et Salé, a quelque chose d'unique. On sent le danger partout et en permanence, il peut surgir à n'importe quel moment et vous emporter dans son infernal mouvement vers des abîmes vertigineux. Les traîtres sont tous à Tanger. Cela fait peur bien sûr. Cela séduit aussi, certains, par moments.

Un frisson me parcourait tout le corps pendant que nous visitions cette médina, elle aussi pleine à craquer de monde. Abdelkébir craignait de nous perdre dans la foule. Il m'a offert sa main gauche, celle du cœur, et a donné sa droite à Mustapha.

J'ai ressenti alors en moi un sentiment très fort : mon corps et mon cœur liés à jamais à ce grand frère soudain tellement proche, tellement là.

Avec Abdelkébir, la vie, même silencieuse, même tranquille, devient parfois palpitante. Romantique. Inoubliable.

Avec Abdelkébir je m'abandonnerai toujours, même chez les infidèles. Je ne suis plus moi, je suis pour lui, à lui. Je ne m'appartiens pas.

Jeudi

Que s'est-il passé dans la tête d'Abdelkébir cette nuit ?

Il nous a réveillés assez tôt et nous a annoncé le programme : « Aujourd'hui, nous allons à Tétouan ! »

C'est où Tétouan?

Je n'en avais aucune idée.

Abdelkébir a expliqué que c'était à deux heures seulement de voiture de Tanger.

Pourquoi quitter Tanger? On est bien à Tanger. On a à peine commencé à prendre nos marques qu'il faut déjà aller ailleurs. Certes, juste pour une journée. Mais c'est une journée loin de Tanger, loin de cet hôtel qui commence à me plaire maintenant. Loin de la plage où nous offrons nos corps avec plaisir au soleil. Loin d'une intimité certaine avec Abdelkébir.

J'étais triste. Abdelkébir ne l'a pas remarqué. Il avait l'air ravi, comme s'il allait retrouver là-bas une vieille connaissance, un ami, un amour.

Alors que je croyais être en train de me rapprocher et de comprendre petit à petit le mystère Abdelkébir, je me suis rendu compte soudain de l'inverse. Je n'avais rien entre les mains, juste en face de moi le corps obscur de ce frère qui marche, qui respire. Des yeux qui vous regardent à peine. Et il fallait le suivre sans discuter. Lui obéir, un point c'est tout.

J'ai fait ma crise, en silence bien évidemment.

De Tétouan, je ne garde aucun souvenir. On y est arrivés en fin de matinée. On a bu en vitesse du thé à la menthe dans un café au centre-ville, puis nous avons pris de nouveau un grand taxi pour nous rendre à El-Madiaque, une sorte de village de contrebande où l'on trouve de tout, notamment des marchandises qui viennent d'Espagne.

Je comprenais enfin ce qu'Abdelkébir cherchait en nous imposant ce voyage. Il a toujours aimé chiner. Et El-Madiaque est considéré comme le paradis des chineurs. Il aurait pu nous le dire dès le départ mais, dictateur comme il est, un peu comme ma mère, il décide seul et ne communique qu'à la toute dernière minute.

Je déteste chiner. J'ai fait un effort, un semblant d'effort. Mustapha, lui, a suivi Abdelkébir partout, il n'avait pas besoin de se forcer. Ils s'enthousiasmaient tous les deux pour des objets qui me laissaient, moi, totalement indifférent.

Ils ont acheté des disques, des cassettes vidéo, des affiches de films, des posters de chanteurs. Une quantité énorme de pièces détachées pour je ne sais quoi faire. De la colle forte. De vieilles assiettes en faïence et une chemise de nuit pour ma mère. Du chocolat en grande quantité pour les sœurs. Une vieille veste en daim pour notre père. Et moi, il fallait que je choisisse aussi. Tout était bon marché. Je pouvais prendre ce que je voulais. Mais quoi ? Abdelkébir y tenait. Il insistait. Continuer à faire le rabat-joie ? Je n'ai pas osé. Alors, pour lui faire plaisir, j'ai fini par acheter un Best Of David Bowie : je sais qu'il l'aime. Et moi aussi, naturellement.

Voilà. C'est tout ce qu'on a fait aujourd'hui. Des heures en voiture. Des heures à faire des courses. Et retour, complètement crevés, à l'hôtel. À Tanger.

Je n'ai presque pas décoléré de toute la journée.

J'étais jaloux aussi. De quoi ? De qui ?

Je suis au moins soulagé de retrouver Tanger et cette chambre d'hôtel où l'odeur forte d'Abdelkébir a déjà tout imprégné.

Enfin, je respire !

Vendredi

Abdelkébir a disparu.

Nous nous sommes réveillés assez tard ce matin, Mustapha et moi. Abdelkébir n'était pas dans son lit. Nous avons pensé qu'il était en train de prendre sa douche.

Une demi-heure plus tard, il n'était toujours pas de retour dans la chambre. Nous avons alors décidé de le rejoindre dans les douches communes qui se trouvent à côté des escaliers. Il n'y était pas.

Où pouvait-il bien être ? Au café qui jouxte l'hôtel pour prendre son petit déjeuner ? Sans nous ? À la plage déjà ? Parti faire du jogging, comme ça lui arrive parfois à Salé ? À la réception en train de lire les journaux ?

C'est Mustapha qui a remarqué le premier l'enveloppe

blanche sur le lit, déjà fait, d'Abdelkébir. Il l'a ouverte. À l'intérieur il y avait de l'argent, 100 dirhams, et un mot écrit en arabe qui disait ceci :

Bonjour,

J'ai oublié d'acheter quelque chose d'important hier à Tétouan. Je dois y retourner. Je rentrerai ce soir, peut-être tard. Je suppose que vous saurez vous occuper seuls. Allez à la plage. Ou bien au cinéma Mauritanya qui se trouve à l'entrée de la médina. Voici 100 dirhams pour vous deux, je pense que ce sera largement suffisant pour acheter de quoi manger. Soyez prudents en nageant, il y a parfois des courants qui pourraient être dangereux... Nagez seulement là où vous avez pied, pas ailleurs. Je serai de retour ce soir... peut-être très tard. Ne m'attendez pas pour vous coucher.

Salam,

Abdelkébir

Mustapha était tout excité à l'idée qu'on allait passer la journée seuls. Pas moi. Que faire sans Abdelkébir ? Quelles décisions prendre à sa place ? Et comment les prendre ? Je ne me voyais pas les prendre, de toute façon. Jouer vraiment à l'homme, déjà ? Non ! Je ne suis pas fait pour diriger les autres. Déjà décider pour moi-même est tout un problème, un cauchemar quotidien.

Je n'aime pas la liberté.

Je m'en doutais : l'absence d'Abdelkébir allait m'obséder, me posséder toute la journée. Et c'est ce qui est arrivé.

J'ai essayé toute la journée de l'imaginer à Tétouan, à El-Madiaque, marchant, discutant les prix, cherchant cette chose si importante qui l'avait obligé à retourner une deuxième fois à Tétouan… Je n'y suis pas arrivé. Je le voyais bien, lui, son corps qu'il me semble connaître maintenant presque par cœur, mais pas le reste. Pas cette ville qui sépare et que je n'aime pas.

Et s'il mentait ? Et s'il était allé là-bas retrouver une amoureuse ? Un amoureux ? Je n'avais plus confiance en lui tout d'un coup. Ces soupçons avaient fait naître en moi une haine incroyable à son égard. Je me sentais mal, malheureux, seul, triste, abattu, sans goût pour la vie. Quelque chose en moi n'allait plus, ne fonctionnait plus comme il fallait.

Était-ce normal ?

Enfin je me l'avouais, je me l'avoue, je ne vois pas comment le dire, le décrire autrement : je suis amoureux d'Abdelkébir !

Je ne vais pas m'attarder ici sur la nature de cet amour. Il me dépasse. Il me hante.

Je suis amoureux, c'est ça.

Je me sens abandonné. Pas aimé. Vide.

Où est-il maintenant, Abdelkébir ? Que fait-il ? Avec qui est-il ? À quoi pense-t-il ?

À la plage, Mustapha a retrouvé ses copains et a joué avec eux tout l'après-midi au football. Ils m'ont invité à les rejoindre. De peur de me ridiculiser, qu'on me traite encore une fois de fillette, j'ai décliné leur proposition et je suis resté seul, offrant mon corps, déjà noir, au soleil.

Un homme d'un certain âge (35 ans ? 40 ans ?) est venu vers moi. Il a touché délicatement mon épaule et m'a dit, en français :

« Il faut se méfier du soleil. C'est dangereux. Tu as une crème solaire ? »

Il ne m'a pas laissé le temps de répondre et m'a proposé la sienne. Je m'en suis mis partout sur le corps et la lui ai rendu en le remerciant. Il est aussitôt revenu à la charge :

« Le dos. Tu as oublié d'en mettre sur le dos. Tourne-toi, je vais t'aider... le dos... c'est difficile à... »

J'ai fait ce qu'il me disait. Il a mis sa main gauche sur mon épaule et a commencé à étaler avec sa main droite sa crème solaire sur mon dos. Cela n'a pas duré long-temps, à peine une minute.

« Tu t'appelles comment ?

– Abdellah.

– Moi, c'est Salim.

– Tu es marocain ?

– Oui !

– Pourquoi parles-tu en français alors ?

– Parce que je vis à Paris. Je ne connais pas l'arabe.

– Tu veux dire que tu ne connais aucun mot arabe ?!

– J'en connais peut-être quatre ou cinq… à peine…

– Et cela ne te manque pas… parler la langue de ton pays, ton premier pays ?

– Non, franchement non ! Et toi, où as-tu appris le français ?

– Mon français n'est pas bon, je le sais, je fais encore beaucoup de fautes. Je l'ai appris à l'école, comme tout le monde ici.

– Que fais-tu à Tanger, seul ?

– En vacances. Je suis accompagné de mon petit frère qui joue au football là-bas et de mon grand frère qui est parti à Tétouan pour la journée.

– Tu es seul alors ?

– Oui, si on veut.

– Tu voudrais qu'on aille quelque part tous les deux ?

– Où ?

– Au cinéma par exemple.

– Il y a un cinéma à l'entrée de la médina qui s'appelle Mauritanya.

– Je le connais très bien. Tu veux qu'on y aille regarder un film ?

– Oui, je veux bien, j'adore le cinéma… Mais il y a un problème… mon petit frère.

– Il peut rester ici à jouer au football. On n'en aura pas pour très longtemps, deux heures tout au plus. On prendra un petit taxi pour revenir à la plage.

– C'est d'accord. Je vais le prévenir.»

Samedi

Je me sens mal, mal, mal.

Je suis un traître.

J'ai trahi Abdelkébir.

Au cinéma, avec Salim.

Et le pire, c'est que j'ai aimé ça, être entouré par les bras forts de cet homme de 40 ans qui sentait bon et qui me parlait dans l'oreille en français tout en essayant de trouver un chemin vers mon sexe, mes fesses. Je me suis donné à lui. Il ne m'a pas fait souffrir. Oui, j'ai aimé ça. Mon Dieu !

Je me sens mal. Je veux rester au lit toute la journée.

Abdelkébir est venu vers moi ce matin. Il s'est penché sur moi, a mis sa main sur mon front. «Tu as de la fièvre ? Oui, on dirait, mais pas beaucoup. Il vaut mieux que tu restes dans la chambre à te reposer. Je vais sortir t'acheter du Doliprane et des fruits. Il faut que tu boives

61

beaucoup d'eau aussi. Je te laisse ma bouteille Sidi Ali à côté de ton lit. »

Quand il a relevé la tête j'ai aperçu sur une partie de son cou, que le t-shirt qu'il portait aurait dû normalement cacher, un suçon. Un gros suçon rouge.

C'était la preuve incontestable. Il a commis l'irréparable. Lui aussi. Je le savais… je le savais… J'avais raison.

Lui aussi il m'a trahi.

Depuis le début je suis un peu fou. Maintenant je le suis complètement.

Je me sens mal… Seul. Loin, loin de lui qui est si près pourtant.

Quelque chose s'est cassé entre nous. Pour toujours ?

Je vais essayer de dormir, oublier si c'est possible.

Oublier quoi ? Oublier qui ? Est-ce que c'est possible, un peu, juste un peu d'oubli ?

Dimanche

Que s'est-il passé en moi hier ? Où ai-je passé la journée ? Et la nuit ? Qu'ai-je fait ? Dormi ? J'ai dormi vingt-quatre heures ?

Je ne me souviens de rien.

Abdelkébir n'était jamais loin. C'était comme s'il

avait dormi avec moi, dans le même lit que moi, comme à Salé. Veillait-il sur moi ?

Aujourd'hui, je me sens curieusement bien, en forme. Je ne suis plus malade. L'étais-je vraiment hier ?

Je doute de tout. Je suis hanté, possédé par des questions sans réponses.

Que s'est-il passé dans ma tête ? Dans mon corps ?

C'est le noir.

Ma première maladie d'amour. Malade d'avoir trompé, trahi, malade d'avoir perdu la tête. On dirait un roman. Je suis dans un roman d'amour comme je n'en ai encore jamais lu.

Abdelkébir, fidèle à lui-même, est silencieux. Je sais qu'il n'a rien acheté à Tétouan. Il sait que je sais. Sait-il pour moi ? Je l'espère. J'espère qu'il souffre comme moi.

Ai-je bien vu hier sur son cou un suçon, une marque rouge, ou bien était-ce dans mes rêves ?

Je ne suis plus sûr de rien. Tout se mélange. Une chose est sûre : ma trahison.

J'ai été puni. On m'a puni.

Il y a bien une justice dans ce monde. Une justice partiale. Abdelkébir, lui, n'a pas été puni. Et heureusement d'ailleurs. Sans lui, on n'est rien à Tanger. Dès qu'il n'est pas là on commet les pires bêtises. Moi, en tout cas.

Je suis désorienté. Désaxé.

Il nous reste deux jours de vacances. Nous rentrons mardi à Salé.

Lundi

Abdelkébir est amoureux.

Hier, durant à peu près une heure, il a parlé avec enthousiasme de Tétouan. Il rêve d'y habiter un jour, d'y acheter même une maison. Le côté espagnol de cette ville lui plaît, sa couleur blanche, son air vivifiant, son statut à part dans l'histoire du Maroc... tout... tout lui plaît...

Abdelkébir qui parle ! Voilà un vrai miracle !

Quand est-ce qu'il a eu le temps de tomber amoureux ? Et de qui est-il amoureux ?

C'est simple, il suffirait de lui poser la question : « Abdelkébir, mon cher frère, es-tu amoureux ? » Mais où puiser le courage pour une telle confrontation ? Où aller maintenant que je suis assailli de doutes, maintenant que je suis furieux, jaloux pour de vrai ? Et que faire de Tanger ? Comment faire avec Tanger ?

Nous sommes dans la casbah en ce moment. On boit du thé noir en sachet, Lipton. Abdelkébir, je ne le reconnais plus, dit, comme ça, sans honte, que depuis qu'il est retourné à Tétouan il est amoureux de ce thé, que je

tasteless

trouve insipide. Il l'a dit. Il le redit. Il assume. C'est de la folie. Il cherche par tous les moyens comment parler de Tétouan. Il est intarissable. Bavard.

Il est heureux. Son visage rayonne. Son regard est différent, détendu, pas sérieux, rieur.

De la casbah on a une vue panoramique extraordinaire sur Tanger, le port, le détroit, la Méditerranée, l'Océan. Des ouvertures. L'horizon. L'avenir. Le bonheur de la vie. Les promesses. Allons-y, c'est à nous! Vraiment?

Mustapha ne remarque visiblement rien. Tout le dépasse. Il est encore trop jeune pour saisir la complexité des choses qui se produisent sous nos yeux. Il est ailleurs, et tant mieux pour lui.

Je vois sur tout le corps d'Abdelkébir les signes du bonheur. De l'amour.

Il a changé d'eau de toilette. Celle qu'il porte maintenant est fruitée. Je suis sûr qu'il l'associe à quelqu'un.

Hypocrite, j'ose lui demander : « Tu sens bon, Abdelkébir. Une nouvelle eau de toilette? Tu l'as achetée à Tétouan? »

Je lui ai posé la question. Il me regarde, stupéfait. Puis il détourne le regard sans répondre, c'est-à-dire qu'il répond, mais sans prononcer aucun mot.

Mon cœur se brise.

Tanger est indifférent à mon état, à mon malheur. Je ne sais plus si je dois l'aimer ou bien la détester, cette ville…

Tanger, est-ce le début d'une grande passion ? D'une haine réciproque ?

Nous sommes toujours dans la casbah. Le serveur a mis de la musique, une chanson romantique d'Abdel Halim Hafez (toutes ses chansons le sont), *Fatet Ganbenà*, composée par le grand Mohamed Abdelwahab. Abdelkébir a l'air d'apprécier. Lui qui n'écoute d'habitude que les Doors, Jimi Hendrix, les Rolling Stones, David Bowie est en train de savourer cette chanson tellement égyptienne célèbre, merveilleuse… Elle raconte l'histoire de deux amis qui voient passer devant eux une fille très belle. Celle-ci, après les avoir dépassés, se retourne et sourit. La grande question, et qui nous tient en suspens tout le long de la chanson, même si on connaît la fin, est : à qui la fille a-t-elle souri ? À Abdel Halim Hafez ou bien à son ami ?

Fatet Ganbenà est très longue, elle dure plus d'une heure, mais à aucun moment elle n'est ennuyeuse. Abdelkébir l'écoute pour la première fois peut-être. Il veut visiblement aller jusqu'au bout, connaître la fin.

Il commande de nouveau du thé. Généreux : il rappelle le serveur et lui demande de nous apporter des gâteaux, et pas n'importe lesquels, des cornes de gazelle, rien que ça. Malgré nous, Mustapha et moi, on est en train de célébrer quelque chose. Un événement. À moins que ça ne soit une catastrophe.

Abdelkébir est-il amoureux pour la première fois de sa vie ? A-t-il fait l'amour pour la première fois de sa vie à Tétouan ?

Célébrer le bonheur de l'autre, est-ce sans dangereuses conséquences pour notre santé ?

Et Abdel Halim Hafez que j'aime tant, devrais-je à présent commencer à le détester puisque, sans aucune pitié pour mon pauvre cœur, il fête avec Abdelkébir son amour ? Sa chanson *Fatet Ganbenà* est en train de devenir mon ennemie. Une ennemie qui peut surgir de partout, me poursuivre partout. Me maudire. Me jeter un sort. Me blesser. M'aveugler. Me paralyser. M'assassiner.

J'écris dans ce journal ce qui passe par ma pauvre tête. Abdelkébir fait à peine attention à nous. Il est totalement dans la chanson, habité par l'émotion qu'elle dégage, qu'elle lui procure. Il n'est pas avec nous. Il nous a abandonnés sans aucun remords.

Fatet Ganbenà est en train de finir. La très jolie fille vient de dire à Abdel Halim Hafez que c'est à lui, lui le beau brun, qu'elle a souri. Le public interrompt le chanteur pour exprimer sa grande joie. Abdel Halim Hafez triomphe. Le public et lui sont en osmose. Et au milieu d'eux : Abdelkébir, qui a les yeux rouges maintenant. C'est le temps des célébrations. Les gens tristes, comme l'ami du chanteur, comme moi, n'ont pas de place parmi cette foule en extase.

Que le bonheur est triste et cruel parfois !

Et que la jalousie est parfois légitime, nécessaire !

Abdel Halim Hafez reprend le dernier couplet de sa chanson, le public est en délire, il répète deux, trois, quatre fois ce qu'elle lui a dit : « C'est à toi, beau brun, que je souriais. »

L'inimaginable : Abdelkébir est en train de pleurer. Il se lève et se dirige vers les toilettes.

Je ferme les yeux. C'est par où, le noir du monde ?

Mardi

C'est simple.

Abdelkébir est vraiment amoureux.

Dans le train qui nous a ramenés à Salé ce matin, il nous a révélé son prénom : Salma. C'est décidé, il veut se marier avec elle. Il en parlera à ma mère dès notre arrivée en début d'après-midi.

Hier, dans la soirée, il nous a entraînés avec lui dans le souk des bijoutiers. On y a passé des heures à regarder des bagues de toutes sortes. Des bagues de fiançailles, évidemment. Abdelkébir a hésité longtemps avant de se décider. Mustapha et moi, on en avait marre. Les bagues, franchement, est-ce que cela intéresse les garçons ? On aurait fait un effort si Abdelkébir nous avait expliqué pourquoi il fallait absolument acheter ces maudites bagues à Tanger, et pas ailleurs. Mais il était redevenu muet, comme à son habitude.

J'ai compris hier à quel point l'amour peut être égoïste.

Salma. Inutile d'écrire ici que je n'aime pas ce prénom. Je le déteste. Je le hais. Je l'exècre. Je l'abhorre.

Comment peut-on se décider aussi vite à demander une fille en mariage ? Abdelkébir est-il idiot à ce point ? La première fille qui lui ouvre ses jambes, il la prend pour femme ! Même moi, plus jeune que lui d'au moins dix-sept ans, je ne le ferais pas. Je le croyais plus intelligent que ça, plus ouvert d'esprit, moderne. Je le découvre on ne peut plus traditionaliste. Quelle déception !

Je ne comprends rien à rien.

Que faire ?

J'ai envie de le prendre par les épaules, de le secouer violemment, de lui donner deux baffes bien sonores, et pour finir de l'embrasser tendrement sur les deux joues.

Je reste à ma place. Je ne bouge pas. Je me contente de le regarder tristement.

Il a toujours l'air heureux. J'ai honte de l'avouer, de l'écrire dans ce journal : j'ai l'impression qu'il est devenu un imbécile, une marionnette, c'est comme si on lui avait jeté un sort. Il est en train de commettre une grave erreur, il ferme toutes les portes de la vie devant lui pour s'engouffrer dans celle que lui entrouvre cette salope de

Salma. Il a besoin de quelqu'un pour le sauver, le détourner de ce chemin, de ce piège. Une femme marocaine, quand on a 30 ans, est forcément un piège.

Il faut lui ouvrir les yeux. Il n'a pas besoin de remercier cette garce du petit plaisir qu'elle lui a donné en lui offrant sa vie en échange. Sa vie, justement, est encore à faire. Il n'a encore rien, Abdelkébir. Il n'est pour l'instant qu'un petit fonctionnaire. Aurait-il oublié ses rêves pour le sexe ? Et nos rêves pour lui ? Nos espoirs placés en lui ? Notre avenir lié à jamais au sien ?

Il faut se battre pour lui, à sa place. Et je sais comment.

Je vais mentir à ma mère, lui dire que j'ai vu Salma à Tétouan et que c'est une vraie salope, une sorcière, une Rifaine dangereuse avec laquelle aucun de nous ne s'entendrait. Je vais la convaincre de tout faire pour empêcher ce mariage de malheur. Je sais que je n'aurai pas besoin de beaucoup d'arguments, par avance elle est de mon côté, le mariage d'Abdelkébir n'est pas pour aujourd'hui, ni pour demain. L'épouse de ce frère adoré, c'est elle, ma mère, et personne d'autre, qui la lui choisira quand la question se posera sérieusement et que toutes les conditions seront remplies, à la fois par lui et par celle qui sera sa femme.

Je suis triste, soulagé. Heureux ?

Je ne vais pas pleurer.

Je ne suis plus le même qu'il y a une semaine.

Abdelkébir n'est pas perdu. Il sera à nous pour quelques années encore. J'en ai l'intime conviction.

En attendant je continue de voyager avec lui sur son propre corps.

Tanger aura été finalement tout ce que je n'avais pas imaginé. La ville de ma première bataille d'amour. Et je sais que j'en sortirai vainqueur.

Tanger, ville de tous les trafics.

Abdelkébir a de la chance. Son corps nous appartient.

III

De l'autre côté, loin, si loin, seul, désemparé, affolé, perdu, déjà je criais « Au secours ». J'appelai le Maroc, j'appelai ma mère au Maroc.

Je venais d'arriver à Genève. J'étais encore à l'aéroport.

Je racontai des mensonges à ma mère. Je n'avais pas d'autre choix.

« Tout va bien, ma mère, tout va bien. Oui, je suis bien arrivé. Ne t'inquiète pas. Il ne fait pas froid, pas encore en tout cas... Non, je n'ai pas eu peur dans l'avion cette fois-ci. Il y avait beaucoup de Marocains autour de moi, cela m'a un peu rassuré, je crois... Oui, mon ami est venu me chercher, il est avec moi, on est encore à l'aéroport. Je dormirai chez lui cette nuit, et d'autres nuits encore peut-être... Oui, il est gentil, un vrai gentil... Promis, je le saluerai de ta part... Tu prieras pour lui aussi ? C'est d'accord, je le lui dirai, il en sera content, j'en suis sûr... Oui, oui, il est très gentil, maman, je te l'ai dit, il ne mange pas les gens… et il fait très bien la cuisine… Il a trois chambres à coucher, et beaucoup de couvertures, ne t'inquiète pas, je n'attraperai pas froid… Il s'occupera de moi comme s'il était mon grand frère, il me l'a dit plusieurs fois. Je dois te laisser maintenant, M'Barka, il m'attend, on va rentrer chez lui… Je te rappellerai plus tard… Comment ? Qu'est-ce que tu as dit ? Il a une voiture… Prie pour moi… »

30 septembre 1998. Fin d'après-midi.

Personne ne m'attendait à l'aéroport de Genève. Au bout de deux longues heures, il m'a fallu me rendre à l'évidence : Charles, l'ami de Jean, ne viendrait pas me chercher comme il l'avait promis, il n'était pas simplement en retard comme je l'espérais.

J'ai téléphoné chez lui plusieurs fois. Je suis tombé chaque fois sur le répondeur. « Vous êtes chez Charles. Vous pouvez laisser un message – même deux si vous voulez. Je vous rappelle dès que possible. C'est à vous ! » Le ton de sa voix était invariablement le même, chaleureux, trop chaleureux même pour un Suisse, accueillant. Charles avait la voix d'un type avec qui on aimerait volontiers bavarder de tout et de rien. Un type serviable qui ne vous laisserait jamais tomber, quoi qu'il arrive. Un type bien, vraiment bien.

Premier message. « Bonjour Charles, c'est Abdellah !

Je suis arrivé à Genève... Je suis à l'aéroport. Je te cherche depuis quinze minutes. Je ne te vois pas. Tu te caches quelque part ? Où ? Tu finiras par apparaître comme par enchantement, j'en suis sûr... Je n'ai eu aucun problème à la douane... Je t'attends... Tu dois certainement être en route vers ici... je veux dire vers l'aéroport... Tu es bloqué peut-être dans les embouteillages... Je t'attends. À tout de suite ! »

Une heure plus tard, deuxième message. « Bonjour Charles. C'est encore moi, Abdellah... Abdellah Taïa... le Marocain, tu te souviens ? ! Je suis toujours à l'aéroport, qui est complètement vide maintenant. Je ne sais pas où tu es... Et je ne sais pas quoi faire... Prendre le bus et aller jusqu'à chez toi ? Tu es peut-être malade, cloué au lit... tellement malade que tu ne peux même pas répondre au téléphone... Que faire ? Que faire ? Je ne connais pas le code pour entrer dans ton immeuble. Bon, je vais attendre encore un peu... j'ai tout mon temps pour attendre... Je t'embrasse. À tout de suite... j'espère ! »

Encore une heure. Troisième et dernier message. « Bonsoir Charles. Tu m'as oublié visiblement. Pourtant je t'ai envoyé il y a un mois une lettre de Salé pour te confirmer la date de mon arrivée à Genève... Tu ne l'as pas reçue ? Peut-être... J'aurais dû te passer un coup de fil pour te dire exactement quand j'arrivais... On ne peut

pas toujours faire confiance à la poste, la poste marocaine surtout… Des suppositions. Je ne fais que cela
depuis que j'ai atterri… Je suis à l'aéroport depuis
presque trois heures. J'ai une grosse valise. J'ai des
cadeaux pour toi. Je commence à avoir faim. Et je ne sais
pas où aller… Où aller ? Tu sais bien que je ne peux pas
aller chez Jean, qui ne doit pas être à Genève d'ailleurs,
plutôt à Leysin dans son chalet… Je ne sais pas quoi
faire. Il faut que je me débrouille. Je m'attendais à tout,
sauf à ça, me retrouver abandonné… Abandonné ? Il me
faut grandir, vite, très vite. Merci quand même… C'est
idiot, je sais, on m'a appris à dire toujours merci… Merci
alors… Merci de quoi ? Adieu ! comme vous dites ici
en Suisse… Adieu ! »

Trois appels. Trois messages. Trois monologues.
L'appel suivant est pour M'Barka. Elle me dit qu'à Salé
il fait déjà nuit et que Mustapha n'est pas encore rentré.
La télévision est toujours en panne. <u>Elle est seule dans la
maison vide. Nous sommes seuls</u>.

<u>Bienvenue en Europe</u> !

Je pris le train jusqu'à la gare Cornavin au centre de Genève. Le trajet dura à peine un quart d'heure. Ma tête était noire de l'intérieur. Je ne savais pas comment réfléchir, comment lier les idées entre elles, quelle décision prendre. Je ne savais qu'une chose, où mettre ma valise : à la consigne de la gare, toutes les gares en ont normalement. J'avais heureusement un peu d'argent sur moi, des francs suisses.

Genève, que j'avais tant aimée avec Jean, se révélait à moi sous un nouveau jour : une ville froide, plus froide que d'habitude. Elle était pourtant belle, plus belle que jamais, plus colorée, les feuilles des arbres étaient rouges, jaunes, vertes, noires… Genève vivait un automne magnifique. Et moi il fallait que je trouve un peu de chaleur avant la tombée définitive de la nuit. Il ne fallait pas paniquer, avoir peur, trembler, pleurer, m'apitoyer sur mon sort. Ce n'était pas le moment, non, non… Il fallait être fort, FORT. Je pesais à l'époque cinquante-cinq kilos.

Je ne sais pas où en moi je l'ai trouvée, la force, je ne sais pas où je l'ai puisée. C'était sans doute la force de la tristesse, la force du désespoir, quand on n'a rien, quand on n'a pas d'autre choix. Je me suis laissé guider par elle. Je l'ai suivie et elle me disait que tenir le coup était mon unique priorité ce soir-là.

J'avais reçu une bourse de la Confédération helvétique. Je venais à Genève pour préparer pendant un an un DES en littérature française du XVIIIe siècle.

Mon père venait tout juste de mourir.

Début avril 1996.

J'ai rencontré Jean au Maroc, à Rabat. À l'université Mohamed-V où il était venu participer à un colloque autour du thème «Le beau mensonge».

Le dernier jour, juste avant le discours de clôture, innocent, je lui dis : «Je voudrais bien prendre un verre avec vous plus tard en ville, discuter encore plus avec vous… Avez-vous bien visité Rabat ?» Il répondit par un «non» gentil qui invitait à plus. Sans réfléchir, je revins à la charge : «Si vous voulez, dimanche, après-demain, je ferai volontiers pour vous le guide à Rabat, et même à Salé si vous voulez… Je suis libre toute la journée.» Il accepta mais réserva sa réponse définitive pour plus tard.

Au moment de quitter la salle des colloques, il vint vers moi et dit un peu timidement : «Je ne suis pas sûr d'être libre dimanche, demain avec mes collègues nous allons à Fès, nous rentrerons à Rabat tard dans la nuit ou bien le lendemain… » Je ne le laissai pas finir sa phrase : « Voici mon numéro de téléphone, appelez-moi quand vous serez de retour… même très tard dans la nuit. » Il me regarda, un peu stupéfait. J'insistai : « Même très tard, je vous assure… En ce moment, nous avons beaucoup de monde à la maison, des parents de la campagne, et avec ma mère ils veillent très tard… N'hésitez pas ! »

Il suivit mon conseil. Le lendemain, vers minuit, le téléphone sonna. C'était lui. Il venait de rentrer de Fès qui l'avait enchanté. Il était libre pour la journée du dimanche. On se donna rendez-vous devant son hôtel à 10 heures du matin.

Quelque chose était né entre nous, en nous, et ce dimanche ensoleillé, dans les rues et les monuments de Rabat, sur une felouque pour traverser le fleuve Bou Regerg, tandis que nous déambulions dans les ruelles de Salé, ne fit que le confirmer. Une entente réelle. Une grande complicité intellectuelle. Une envie commune de rire des mêmes choses. Une tendresse certaine, à ses débuts. De l'amour ? Peut-être. De l'attachement fort en tout cas, déjà, pour l'instant.

Instinctivement, sans réfléchir, j'étais en train de le séduire. Je parlais beaucoup. J'exhibais ma culture, mes connaissances littéraires, cinématographiques. Je disais ma ville, mes deux villes : Rabat, puis Salé ; Salé et Rabat ; Rabat-Salé. Je racontais brièvement l'histoire de ces deux villes. Je faisais le guide parfaitement, et ma connaissance intime et précise de cet espace dans ses moindres détails me surprenait beaucoup. Je me sentais le roi de Rabat-Salé. Mon palais était la casbah des Oudayas. Et, à côté de moi, cet homme suisse, hier presque un inconnu, et aujourd'hui un frère, un maître, un amoureux peut-être, pas encore un amant.

Sur la plage de Salé, je lui parlai de Pier Paolo Pasolini qui avait passé plusieurs mois de la dernière année de sa vie à Rabat. L'écrivain-cinéaste avait eu une sorte de coup de foudre pour Salé, il voulait même y tourner un film. Il voulait aussi se convertir à l'islam. Et souvent, paraît-il, il venait seul assister au coucher du soleil sur cette même plage où nous nous trouvions Jean et moi.

Plusieurs mois plus tard, Jean m'a dit qu'il avait été très touché par mon récit sur Pasolini, surtout par ce que je ne disais pas mais que je laissais volontiers entendre. Avec le temps, Pasolini allait devenir notre témoin, le prêtre-imam qui bénissait notre relation.

Au moment de quitter la plage de Salé, Jean rapprocha sa tête de la mienne et, de sa main droite, il me caressa l'épaule.

J'étais étonné, et pas si étonné au fond, par cette marque d'affection.

J'avais gagné quelque chose, quelqu'un. J'étais fier sans savoir de quoi exactement.

Dans la felouque qui nous ramenait à Rabat, nous étions silencieux. On avait dit l'essentiel, et un peu plus. Nous apprenions à être bien ensemble dans le silence.

En route pour retrouver ses collègues, professeurs comme lui à l'université de Genève, avec qui nous allions dîner dans un quartier bourgeois de Rabat, Agdal, je lui annonçai une nouvelle encore récente d'une grande importance : le département français de l'université Mohamed-V m'avait trouvé une bourse pour aller à Genève terminer mes études, mais pas tout de suite, dans deux ans seulement. D'abord, durant une dizaine de secondes qui me parurent une éternité, il ne dit rien. Puis il me surprit en passant sa main gauche dans mes cheveux. Enfin, il murmura lentement et avec beaucoup d'effort : « *Mabrouke !* » Je ne lui demandai pas qui lui avait appris à dire « félicitations » en arabe. Il était heureux pour moi (pour nous ?), et cela était plus que suffisant pour me remplir de joie, pour longtemps.

Il me laissa ses coordonnées.

À la fin du dîner, devant ses collègues, il m'embrassa trois fois, comme en Suisse, pour me dire au revoir, adieu.

Il est revenu me voir trois fois au Maroc. Nous avons

visité ensemble trois villes marocaines : Marrakech, Tanger, Ouarzazate.

Je suis allé le voir en Suisse deux fois.

Nous nous écrivions au moins cinq lettres par semaine.

Me voilà dans les rues de Genève. Rue de Berne. Rue de Neuchâtel. Le Paquis. Le lac. Le magnifique lac Léman. La France de l'autre côté. Je tournais en rond. J'achetai un sandwich chez un Libanais, un chawarma poulet à la sauce blanche très aillée, très forte, je m'en souviens encore. Je n'avais pas assez d'argent pour prendre une boisson, un verre d'eau me suffisait. Après ? Après : dormir. Où ? À l'hôtel ? Impossible, je devais garder le peu de francs suisses que je possédais pour payer la consigne. Dans la rue alors ? Mais où dans la rue ? À côté de la gare Cornavin ? Dans la gare même ? Je passai en revue dans ma tête toutes les possibilités. Aborder quelqu'un et lui demander de m'héberger pour la nuit (j'avais vu cela se faire tellement de fois au Maroc, pourquoi pas ici…) ?

Il était déjà 21 heures. Le noir enveloppait entièrement la ville de son voile. Les rues de Genève étaient vides, pire que Rabat un soir d'hiver. Il faisait froid maintenant. Une idée folle me traversa l'esprit : aller dans un sauna et y passer la nuit. Un sauna, c'est chaud. Un sauna, ça devrait être ouvert toute la nuit, non ? Jean m'y avait emmené la première fois que je lui avais rendu visite, l'été de 1997. Où se trouvait-il exactement, ce sauna ? Je ne me rappelais plus.

Oublier donc l'idée du sauna. La rue : pas d'autre choix. Je me mis alors à la recherche d'un coin tranquille et si possible à l'abri du vent. Mes pas me conduisirent de nouveau du côté de la gare Cornavin. Elle était vide, silencieuse, trop silencieuse, sinistre. Les boutiques de sa galerie souterraine avaient fermé depuis longtemps déjà (à Genève tout ferme à 19 heures : la vie s'arrête !). Les vitrines étaient par chance encore illuminées. Je passai un bon moment à les regarder, à comparer les prix des articles et surtout à les convertir en dirhams. Puis je me demandai ce que faisaient les Genevois à cette heure de la nuit. Je ressortis de la gare par la porte principale et levai la tête vers les fenêtres des maisons et des immeubles. Il y avait de la lumière à l'intérieur de ces habitations, mais j'avais l'impression qu'elles étaient comme vides ; les Suisses étaient muets. Je cherchais une image humaine, un signe, je me retrouvais en face du silence. Le silence en Suisse est profond, opaque, sourd, horrible.

Il fallait que je parle, que j'entende quelqu'un parler. Pour dire quoi, je ne le savais pas. Parler pour parler. Après tout, les Genevois parlaient français, je parlais français aussi. Pourquoi avoir appris cette langue des années durant au Maroc ? Pas pour être réduit à ce silence en tout cas. Avant, il me semblait que le français était la langue avec laquelle on pouvait communiquer le mieux, une langue qui permettait d'exprimer clairement et de façon précise ses idées, nuancer ses propos, polémiquer, se défendre. Je n'avais jamais pensé que le français pouvait être aussi la langue du silence. Ne rien dire et en français me paraissait complètement inconcevable, incongru. Un scandale ! Il fallait réagir, défendre l'honneur de la langue française.

Non loin de la gare il y avait une station de taxis. Sans réfléchir, je me suis précipité vers le premier. Je frappai à la fenêtre. Le chauffeur baissa sa vitre. Miracle, il souriait. Il ne me laissa pas le temps de parler le premier. Il parlait déjà, avant moi, et en français. J'étais si heureux d'entendre des mots français, prononcés avec un accent genevois, que j'en oubliai d'en comprendre le sens. Je lui fis répéter ce qui semblait être une question.

« Je vous demandais si vous êtes kowétien ou bien qatari.

– Ni l'un ni l'autre. Je suis…

– Saoudien alors… sûrement… Vous avez les yeux des Saoudiens. Vous êtes saoudien… n'est-ce pas ? Dites… j'ai raison… Et vous parlez un français impeccable pour un Saoudien.

– Non, je ne suis pas saoudien…

– Je ne vous crois pas, vous avez vraiment l'air d'un Saoudien.

– Non, non, pas du tout… Je suis…

– Ne dites pas, laissez-moi deviner ! Vous êtes des Émirats arabes unis ?

– Non.

– De Bahreïn ?

– Non.

– Avant de me ridiculiser, je donne ma langue au chat.

– Je suis marocain.

– J'aime le Maroc ! J'aime les femmes du Maroc. Vous êtes de Casablanca ?

– Non, de Rabat. Plus exactement de Salé. »

À ma grande surprise, il ne changea pas d'attitude, il ne devint pas désagréable. Bien sûr il avait compris qu'il n'aurait pas avec moi ce qu'il espérait puisque je n'avais pas la nationalité qu'il attendait.

Il sortit de son taxi et m'invita à m'asseoir à côté de lui sur le capot encore chaud de sa voiture. Comme moi il avait envie de parler. Comme moi il ne supportait pas le silence. Il parla plus que moi, longtemps. Du soleil du Maroc. D'une femme, Seloua, qu'il avait aimée à Tanger et pour laquelle il avait été prêt à laisser tomber sa vie en Suisse.

« Elle m'avait ensorcelé. Je n'étais plus moi. Jamais

une femme ne m'avait fait pareil effet. J'étais même d'accord pour me convertir à l'islam afin qu'on puisse se marier au Maroc. Moi je rêvais de vivre avec elle au Maroc, à Tanger entre l'océan Atlantique et la mer Méditerranée. Tranquilles tous les deux, dans un autre temps. Mais elle, elle voulait venir ici, elle rêvait des boutiques, de la propreté, de la couleur verte de la Suisse, des stations de ski. Elle avait entendu parler de Gstaad et voulait y aller. Je lui ai dit que ce n'était rien, juste une station de ski fréquentée par quelques rares pseudo-stars que tout le monde a oubliées. Je lui ai dit que le Maroc était plus humain. Peut-être que c'est la misère pour certains, mais malgré tout il y a dans ce pays quelque chose de plus humain, plus vivant qu'ailleurs. L'humanité sans le progrès de l'Occident : c'est comme ça que je le voyais, le Maroc… C'était il y a… quinze ans… Quinze ans déjà ?! Quinze ans que je ne l'ai pas revue. Le Maroc a dû bien changer pendant ce temps-là. Elle a rencontré un autre homme, un Suisse-Allemand. Elle m'a alors laissé tomber. Je sais qu'elle vit ici, à Zurich, à Berne, peut-être même à Genève… Je ne veux pas la revoir. Je veux juste me rappeler son prénom… Seloua, Seloua… c'est doux comme prénom, c'est caressant… sucré. Quand j'étais avec elle, j'avais toujours l'impression de goûter au miel, sa peau était sucrée, son odeur aussi… C'est peut-être tout le Maroc qui est sucré, trop sucré.

C'est tout ce qui me reste, son prénom et le goût de sa peau. Cela me suffit.

» Je suis content de parler de cette histoire, ça m'a pris au moins cinq ans pour m'en remettre. C'était comme si elle m'avait jeté un sort et avait oublié de l'annuler avant de me laisser tomber et de partir avec l'autre. J'ai appris plus tard à quel point la sorcellerie est importante pour les Marocains. Les Marocaines surtout. Je suis désolé de t'imposer toute cette histoire… C'est malgré moi… Je me rends compte à quel point tout mon être est encore bouleversé par ce qui s'est passé entre elle et moi. Je suis comme cassé… toujours cassé…

» Elle m'a écrit une longue lettre. Elle disait qu'elle voulait de l'argent, pour elle, pour sa famille. La misère, la petite vie, elle en avait assez, plus qu'assez. Elle était belle, elle le savait, c'était là son unique atout pour trouver un homme riche, et les Suisses-Allemands, d'après elle, sont tous très riches. Celui qu'elle a trouvé l'était en tout cas. Je ne peux pas la blâmer, elle était honnête. Elle savait ce qu'elle voulait. Elle ne rêvait pas de la même chose que moi… voilà… c'est tout. C'est tout.

» Bien sûr j'ai écrit une réponse à cette lettre de rupture, une longue lettre. Je ne l'ai jamais postée.

» Qu'est-ce que je lui racontais dans cette lettre ? Je ne me souviens plus. Rien de spécial en fait. Les mêmes choses qu'avant. Que je l'aimais passionnément. Que

91

j'allais certainement devenir fou sans elle. Je le suis devenu d'ailleurs, pendant quelque temps… Je n'ai pas envoyé la lettre. À quoi bon ? Il était déjà trop tard ! Au fond, quand je réfléchis à tout ça de façon objective, je comprends son attirance pour le luxe, son désir d'aller ailleurs, loin… Et puis je crois qu'elle m'aimait, je le sentais quand on était au lit. C'est peut-être cela qui m'a rendu fou : perdre quelqu'un qui m'aimait… m'aimait pour de vrai. Elle m'a laissé tomber parce que je n'avais pas d'argent. C'est aussi simple que ça. L'amour est assez rare. Avec elle, je suis sûr que j'étais dans l'amour. Pour une fois dans ma vie ! »

Il lui fallut un petit moment pour reprendre ses esprits, revenir à moi, sortir de son histoire. Je l'avais écouté attentivement, je ne pouvais rien faire d'autre pour lui. Il ne me demanda pas plus.

« Tu viens d'arriver à Genève ?

– Oui. Cet après-midi.

– Tu as l'air d'un étudiant, maintenant que je te vois de plus près… Je me trompe ?

– Je suis là pour terminer mes études en littérature française.

– Tu habites dans le coin ? Je sais qu'il y a une cité universitaire derrière la gare.

– Je ne suis nulle part pour l'instant.

– Tu cherches où dormir ?

– Oui… mais comme je n'ai pas d'argent… J'ai rendez-vous avec les gens de l'université dans deux jours seulement.

– Et où sont tes bagages ?

– J'ai une seule valise. Je l'ai mise à la consigne.

– Je vois.

– Je peux mieux circuler, bouger, comme ça.

– Il fait froid, tu ne trouves pas ?

– Je crois que je peux supporter le froid… facilement.

– Cela m'étonnerait beaucoup que tu y arrives. Même pour nous les Suisses ce n'est pas évident.

– Je verrai bien. Il ne fait pas encore très froid de toute façon. Ce n'est que l'automne.

– Tu sais, je ne voudrais pas t'offenser, mais je crois qu'il y a non loin d'ici l'Armée du Salut. Tu pourrais y passer la nuit au chaud… et gratuitement… Ils acceptent tout le monde.

– C'est quoi l'Armée du Salut ?

– C'est une association… un lieu où l'on aide les gens qui n'ont pas d'argent, qui ne savent pas où dormir… les pauvres… les émigrés… les réfugiés politiques…

– Tu crois qu'ils acceptent les étudiants aussi ?

– Peu importe ce que tu fais dans la vie. Tu leur expliqueras ton cas… ton histoire.

– C'est aussi facile que ça ?

– Ils comprennent les gens en détresse. Je sais que

93

c'est derrière la gare mais je ne sais pas où exactement. Je vais demander au chauffeur de taxi derrière moi. »

Il ne me demanda pas de raconter mon histoire. Il avait tout compris de lui-même. Je n'eus pas besoin de parler, de m'étaler. Je lui en fus reconnaissant.

Il suffisait de suivre le chemin de fer jusqu'à une petite église, puis de tourner à droite, traverser un square, et c'était là, plusieurs maisons, des cabanes assez simples, l'Armée du Salut.

« La vie est imprévisible. Prends soin de toi, et surtout couvre-toi bien, le froid ne fait que commencer ici. Adieu ! Je m'appelle Samuel. »

Je n'avais plus peur. J'avais oublié ma vie, mon histoire. Je n'avais qu'un seul but : trouver l'Armée du Salut. Dormir. Oublier, m'oublier. Ne plus penser.

Tandis que je traversais le square plongé dans le noir, un bruit me fit sursauter. Un cri ? Non, un rire aigu, féminin. Quelqu'un chatouillait une femme que je ne voyais pas. Puis cette phrase qui resta gravée des heures dans ma mémoire : « Attends, attends, la capote d'abord. » Je pus alors tout deviner, ou plutôt tout imaginer, fabriquer un film. Un film d'amour en noir et blanc, cela va de soi.

À la réception de l'Armée du Salut, un homme au crâne rasé lisait un roman que je connaissais très bien : *Adolphe* de Benjamin Constant. Il avait l'air complètement absorbé, captivé par l'histoire d'amour compliquée de ce livre. Je restai muet devant lui une minute ou deux. Comme il ne se rendait toujours pas compte de ma présence, je fus obligé de le déranger, de le soustraire à sa lecture, de le ramener à une autre réalité.

«Bonsoir monsieur», dis-je d'une voix timide.

Il leva la tête, et là ce fut un choc: l'homme que j'avais devant moi était Michel Foucault. Il ressemblait au philosophe français, il avait tout comme lui: l'allure, le crâne rasé et même les lunettes. J'étais troublé, ému. Je fus immédiatement séduit.

«Bonsoir jeune homme! Que puis-je pour vous?»

Je ne répondis pas. Il répéta sa question deux fois, sans s'énerver. Sa voix était chaude, un peu rouillée, virile.

«Pourriez-vous m'aider?

– Bien sûr. Dites-moi, de quoi s'agit-il? Vous avez l'air perdu, fatigué.

– Je le suis… Je veux dormir…

– C'est tout?

– Oui, c'est tout. C'est déjà beaucoup. Un lit.

– On a plusieurs lits disponibles ce soir, vous avez de la chance. Je vais vous mettre seul dans une chambre. Vous n'avez pas peur de dormir seul?

– Oui… je veux dire non… Je crois que non.

– Je vous mets avec quelqu'un?

– Non, non, s'il vous plaît. Je ne veux pas parler. Je veux juste m'oublier. Oublier où je suis.

– Je comprends, je comprends… Mais il faudra demain remplir quelques formulaires. Donnez-moi votre passeport… N'ayez pas peur, je ne vous le volerai pas. Voici la clé, c'est la chambre 31, au premier étage. Bonne nuit!»

Je le remerciai aussi chaleureusement que je le pouvais et montai à l'étage.

J'étais en train d'enlever mes vêtements quand soudain quelqu'un frappa à la porte. Je remis ma chemise et allai ouvrir. C'était Michel Foucault. De nouveau le choc, de nouveau le trouble. Il me chuchota en souriant gentiment :

« J'imagine que vous avez faim. Je vous ai apporté ce sandwich au fromage que j'avais préparé pour moi au cas où… Je crois que vous en avez plus besoin que moi. Et puis ces deux yaourts aux prunes, les seuls qui restaient au frigo. Mangez tout ça avant de dormir. Ce n'est pas bien de dormir le ventre vide. »

Il avait tout compris.

Les larmes, sans prévenir, coulèrent sur mes joues. Elles étaient très chaudes.

Je baissai la tête, je ne voulais surtout pas que Michel Foucault s'en aperçoive, et murmurai trois fois « merci ». Il me souhaita à nouveau une bonne nuit et me rappela l'heure du réveil : 7 heures du matin.

Marrakech. Août 1996.

Il faisait chaud. Trop chaud. On m'avait dit que cette ville était une véritable fournaise l'été : c'était bien vrai ! Mais cela ne me dérangeait pas du tout. J'étais avec Jean. Tout allait bien entre nous. L'entente, après Rabat, se révélait réelle. L'amour physique y contribuait beaucoup, même si cela n'était pas l'essentiel, pour moi en tout cas. Je ne résistais pas face à lui, j'étais ravi d'avoir un homme pour moi, qui s'intéressait à moi, qui me sortait momentanément de mon milieu populaire, un homme occidental, cultivé, quelque part un homme-rêve.

Oui, tout allait bien.

Je lui disais tout. Mes rêves. Mes secrets. Ma famille. Mes lectures. Mes lacunes. Mes films. Je lui parlais longuement de Paris qui depuis toujours me fascinait et où je rêvais d'habiter un jour. Je lui exprimais sans honte mon désir d'être de plus en plus un intellectuel, d'être capable de voir le monde comme un intellectuel, comme lui. Il était toujours heureux de m'écouter, de me découvrir chaque jour un peu plus.

Vraiment, tout allait bien.

Un soir, nous nous promenions, Jean et moi, dans les rues calmes du quartier chic de l'Hivernage, avant de regagner l'hôtel. Soudain, deux policiers, qui avaient l'air gentil pourtant, nous arrêtèrent. Ils s'adressèrent à moi avec beaucoup de violence, de mépris, en arabe : « Qu'est-ce que tu fais avec cet homme ? Pourquoi tu l'embêtes ? Ne sais-tu pas qu'il est interdit dans ce pays d'embêter les touristes, espèce de... ? » Je me défendis, inconscient du danger : « Mais je ne l'embête pas. C'est mon ami. » Ils répondirent, du tac au tac : « Ton ami ? Ton petit ami ? Tu te crois où ? En Amérique ? C'est le Maroc ici, pauvre con... espèce d'imbécile... Il te paie combien ? Montre tes papiers... et que ça saute... »

Jean ne comprenait pas. Il s'adressa à eux en français en disant que j'étais son étudiant à Rabat et qu'on visitait Marrakech ensemble. Ils m'ordonnèrent de lui dire que ce qu'ils étaient en train de faire était pour sa sécurité, pour le protéger, pour que son séjour se passe bien, qu'il soit satisfait de nous, les Marocains, qu'il soit heureux, qu'il revienne nous voir, voir notre beau pays où il trouverait toujours des gens pour le servir et le choyer. Il était ici chez lui.

Bien malgré moi, je fis le traducteur.

Ma carte d'identité me sauva. «Heureusement pour toi que tu viens de Salé. Si tu avais été un Marrakchi, on t'aurait embarqué sur-le-champ… Allez, fous le camp, et qu'on ne te revoie plus dans les parages. Te voilà prévenu. Allez, dégage…»

Nous reprîmes notre chemin, Jean et moi, en silence. Au loin, à travers les sons qui nous en parvenaient, on devinait le cœur du Maroc, la place Jamaa al-Fna, vibrant, en feu, débordant de folie joyeuse. Mais pour qui?

Les deux policiers, au moment où ils allaient monter dans leur voiture de service, crièrent de l'autre bout de la rue : «N'oublie pas de te faire bien payer… et lave bien ton cul après, sale pédé!»

Deux jeunes amoureux assistaient, choqués, à la scène. Ils s'arrêtèrent. Le garçon me dévisagea quelques secondes de façon bizarre. La fille chercha mon regard et me sourit gentiment. Puis le garçon fit pareil.

Cette nuit-là je n'ai pas dormi. J'ai pleuré toutes les larmes de mon corps sans que cela me soulage pour autant. Je ne sais pas si Jean avait compris ce qui s'était réellement passé.

Le lendemain, une sonnerie assez brutale et une voix, celle d'un boxeur à jamais traumatisé par ses défaites, annoncèrent violemment la fin de la nuit à l'Armée du Salut.

Il était déjà 7 heures du matin. Retour à la réalité.

Il faisait encore noir.

Michel Foucault avait disparu.

Une femme, petite et d'un certain âge, servait le petit déjeuner. Elle ne disait pas «Bonjour», ce n'était pas dans ses habitudes peut-être. Elle distribuait des petits plateaux sur lesquels il y avait une grande tasse remplie de thé noir très chaud, deux tartines, du fromage La Vache qui rit, de la confiture d'orange et une barre de chocolat Mars.

Personne ne parlait dans l'immense pièce qui servait de salle à manger. On était à peu près quinze personnes, de toute évidence de nationalités différentes. Il n'y avait que trois tables, il était par conséquent impossible de s'éviter, nos regards, à un moment ou un autre, finissaient par se croiser, les yeux se baissaient alors, pas un sourire, pas un geste de réconfort. On avait honte d'être là, on voulait tous déjà oublier notre passage dans ce lieu, oublier cette nuit et nos malheurs qu'il n'était surtout pas question de partager. Chacun avait son histoire, ses secrets, ses drames, des parents laissés là-bas, des rêves pas encore réalisés, des amours avouables ou non, des blessures encore ouvertes, chacun de nous portait sur ses épaules son destin pour l'instant malheureux et essayait de ne pas laisser s'éteindre en soi la lumière intérieure, celle qui fait vivre, marcher, parler, aller de l'avant, malgré les embûches, aller vers l'argent, vers cette idée du bonheur qu'on pouvait (qu'on croyait pouvoir) acheter avec des francs suisses.

J'étais le seul Arabe visiblement. Les autres avaient tous l'air de venir d'Europe de l'Est, d'Asie. Aucun Noir.

Le petit déjeuner dura à peine quinze minutes. Il fallait quitter le centre à 7 h 45.

Un quart d'heure pour se remplir l'estomac. Un quart d'heure pour se préparer à sortir de ce lieu réconfortant malgré tout, chaleureux même, pour envisager l'avenir immédiat : où aller ? Où passer la journée ?

Il était à la porte. Grand, fort, séduisant, rassurant. L'homme vrai tel que je l'imaginais. Michel Foucault avait réapparu. Il disait aux gens qui sortaient : « Au revoir ! Bonne journée ! » Certains répondaient « Merci ! », d'autres restaient muets, sans doute ne comprenaient-ils pas le français.

Mon cœur était heureux de le retrouver, un visage depuis longtemps familier, un être fait de mots rencontré d'abord dans les livres puis un livre d'amour à la main, un homme qui souriait déjà alors qu'il faisait encore noir. Un homme qui n'était pas mort, même si la réalité disait le contraire. Je ne pouvais que l'admirer. Que l'aimer.

« Au revoir jeune homme ! Bonne journée !

— Merci. À vous aussi.

— Vous n'avez rien oublié ?

— Non, je ne crois pas.

— Sûr ?

— Oui… je crois… j'ai tout…

— Pensez à votre mère… à ce qu'il ne faut jamais perdre…

— Le passeport !

— Le voilà !

— Oh ! Merci, merci… Comment j'ai fait pour l'oublier ?… Sans ça je n'existe pas ici.

— Voyons, voyons, vous existez bien ici… Moi je témoignerais volontiers pour vous.

— Comment ?

— Comment !?

— Oui, comment ?

— Vous savez où vous allez dormir cette nuit ?

103

– Probablement de nouveau chez vous, si vous le voulez bien.

– Alors, je vous dirai ce soir, après le souper, comment je témoignerais de votre existence ici. Et maintenant, allez, sauvez-vous, j'ai du travail qui m'attend.

– Bon courage alors !

– À vous aussi ! Et n'oubliez pas, le souper est servi de 19 heures à 20 h 30.

– Merci. À ce soir. »

Tanger. Janvier 1997.

Il s'appelait Mohamed. Et, comme tant d'autres, il rêvait de quitter un jour le Maroc pour la France, l'Espagne, l'Allemagne, peu importait, évidemment, les États-Unis seraient le rêve absolu… Il savait ce qu'il fallait faire, il avait établi une vraie stratégie, assez simple mais efficace selon lui : séduire une femme occidentale, s'offrir à elle, lui montrer de quoi un homme marocain est capable, autrement dit la baiser comme une chienne, lui montrer les étoiles en plein jour, la trouer non-stop, la rendre folle, dingue de lui, et de son zob surtout. Il n'avait pas honte de parler comme ça, c'était son projet de vie, pour réussir sa vie. Aujourd'hui, au Maroc, il n'y avait que le sexe qui marchait, le sexe, le sexe, le sexe, du matin au soir, et même toute la nuit, du sexe partout, entre tout le monde, même à la mosquée. Le sexe, disait-il, c'est la première matière brute de ce pays, son trésor, sa première attraction touristique.

Mais Mohamed n'avait pas de chance. Il ne tombait que sur des putes, des pétasses, des fausses blondes, des vieilles peaux radines, des salopes pires que les Marocaines. Il avait cru jusque-là que les femmes marocaines étaient les plus fortes dans la manipulation des hommes et dans toutes sortes de trafics sexuels (et dans la sorcellerie aussi, mais cela allait de soi), il se trompait, il existait ailleurs, en Europe, en France surtout, certaines femmes à côté desquelles les Marocaines paraîtraient des anges, pures. Non, non, il ne se laisserait pas faire, il venait de le décider, il allait désormais se méfier de ces sorcières, quelle que soit leur nationalité, de ces infâmes créatures, de ces matrones sans foi ni loi, de cette horreur qu'était maintenant à ses yeux la femme.

En attendant de trouver la bonne, celle qui serait douce, obéissante, respectueuse, généreuse et bandante, il s'était tourné depuis quelque temps, à peine un mois, vers les hommes. Ils étaient plus simples à satisfaire, à rendre heureux, il se contentait d'être là avec eux, à jouer avec eux, nu parfois mais pas forcément, il les laissait le sucer, il les pénétrait, il envisageait même de se laisser prendre lui aussi à son tour, une bite dans le cul, cela ne lui faisait pas peur, à partir du moment où ce don de ce qu'il avait de plus intime lui permettrait enfin de foutre le camp de ce pays de merde.

Oui, oui, c'est sûr, les hommes étaient plus gentils, moins compliqués, plus joueurs, plus généreux : ils donnaient sans compter de l'argent, plus qu'il n'espérait en avoir. C'était simple, vraiment. Les hommes étaient la surprise totale pour lui, ils ne l'intéressaient pas sexuellement auparavant, mais chaque chose arrivait en son temps, n'est-ce pas ? Il était maintenant de leur côté, il devenait homosexuel pour eux, mais attention, rien qu'avec les étrangers, jamais il ne coucherait avec un Marocain, jamais, passer pour un *zamel* à Tanger lui inspirait une grande horreur. D'ailleurs, il n'était pas *zamel*, non, non, pas du tout, c'étaient les femmes qui l'attiraient, qui l'excitaient, et c'était grâce à elles qu'il espérait toujours un jour très proche sortir de ce pays ingrat. C'était la vérité vraie. Il ne mentait pas. Il était prêt à le jurer sur le Coran, si on voulait.

Mohamed parlait beaucoup. Sans honte. Sans gêne. Il savait que j'étais comme lui, de ce pays-bordel, il ne se censurait pas pour autant, il disait tout, avec lucidité, courage, vulgarité parfois. Il était touchant, par sa beauté, sa naïveté, son intensité et ses contradictions.

Il était grand, blanc de peau, brun des cheveux, souriant toujours même quand la colère l'habitait, et ses yeux, ce qu'il avait de plus fort et ce qui frappait le plus quand on le voyait pour la première fois, étaient noirs, très noirs, immenses.

Mohamed était beau, beau, beau. Et cet adjectif n'est pas assez juste ni assez fort pour dire à quel point sa beauté était extraordinaire.

Jean l'avait dragué dans la galerie Delacroix, à l'entrée de la vieille ville de Tanger. Mohamed l'avait suivi immédiatement.

Je ne savais pas quoi penser de la situation. Jean, Mohamed et moi.

Jean était au Maroc pour cela aussi : se faire de jolis petits Marocains ? Ne venait-il pas au Maroc uniquement pour moi ?

Un nuage noir au-dessus de ma tête : et l'impossibilité de l'éloigner, ou de le transformer en mots.

Jean payait pour tout, pour nous deux, Mohamed et moi.

Mohamed était divin, sublime, je ne pouvais pas rivaliser.

Mohamed me plaisait à moi aussi.

Jean l'invita à dîner avec nous. À la fin du repas, il glissa deux billets de deux cents dirhams dans l'une des poches de son pantalon.

Mohamed acceptait d'être acheté. Cela ne lui posait aucun problème. Visiblement.

Et moi ? Jean était-il en train de m'acheter aussi ?

Je ne lui posai pas la question. Je l'enterrai au fond de moi. On avait peut-être la même culture des livres, lui et moi, mais pas encore les mêmes valeurs ni les mêmes doutes.

Je n'avais aucune expérience de l'argent.

Grâce à ses francs suisses, Jean pouvait tout avoir dans mon pays.

Non, je ne lui en voulais pas. C'était la réalité marocaine que je découvrais autrement, avec surprise, curiosité et horreur, à travers sa présence dans cet espace étranger pour lui.

À part ça, tout allait bien. À la fin de ce séjour de deux semaines à Tanger, Jean m'invita à venir chez lui en Suisse l'été suivant. Il allait s'occuper dès son retour des formalités pour l'obtention du visa.

Il était presque 8 heures du matin. Il faisait toujours noir. Les gens qui avaient comme moi passé la nuit à l'Armée du Salut avaient disparu. Je ne pouvais m'empêcher de me poser des questions sur eux. Où étaient-ils allés ? Travailler ? Chercher du travail ? Vagabonder ? Voler ? Tourner en rond ? Tenir les murs, comme font les jeunes sans travail au Maroc ? Se prostituer ? Trafiquer ?

Autour de la gare Cornavin, malgré le noir, il y avait déjà une grande agitation : des fonctionnaires qui arrivaient à Genève pour le travail, des élèves qui prenaient le bus pour le collège ou le lycée, des nettoyeurs au boulot, des femmes élégamment habillées et maquillées, des vieillards… Tout ce monde semblait savoir exactement où aller, quelle direction prendre, quelle ligne de bus, quelle correspondance, où se rendre. Il y avait de l'énergie dans l'air, de l'excitation pour la vie, pour cette nouvelle journée. Cela ne dura pas longtemps évidemment, le calme finit toujours par revenir en Suisse, le silence, le respect, le respect de tout, de toutes les règles.

Une journée à Genève. Seul. Que faire ? Comment la remplir ?

Mon corps, reposé en ce matin automnal, reprenant un peu de son goût naturel pour la joie, voulait être heureux. Il avait décidé, sans moi, de l'être. Je le suivis.

Je me dirigeai vers la consigne pour prendre dans mon gros sac des vêtements propres. Je me changeai dans les toilettes de la gare, me brossai les dents, me mis un peu de parfum pour sentir bon. Frais pour affronter le monde et penser à comment remplir ma journée.

La carte de téléphone que j'avais achetée la veille à l'aéroport contenait encore quelques unités.

Ma mère ! Appeler ma mère ?

À Hay Salam personne ne répondait. M'Barka n'était pas à la maison. Où pouvait-elle bien être ? Il n'était que 8 heures du matin au Maroc. Elle dormait encore ? Impossible, ma mère a toujours été très matinale. Où était-elle alors ? J'avais tant besoin d'elle, de sa voix, même si je l'avais de mon propre choix quittée. Personne pour moi au Maroc ? Déjà ? J'allais sortir de la cabine téléphonique quand je me rappelai qu'elle m'avait dit la veille qu'elle irait chez ma sœur à Rabat.

L'appeler chez Latéffa, alors ?

« Bonjour Latéffa, c'est Abdellah.

111

– Mon frère ! Mon petit frère ! Tu es parti sans que je te voie.

– Mais je suis passé te voir il y a deux jours en fin d'après-midi. J'ai frappé longtemps à ta porte. Tu n'étais pas à la maison visiblement.

– J'étais probablement allée chercher les enfants à l'école, tu sais bien qu'ils ne connaissent pas bien le chemin pour rentrer seuls à la maison.

– Comment vont-ils ? Comment va ton mari El-Mahdi ?

– Tout le monde va bien, tout le monde pense à toi et te salue. Dis-moi comment tu vas, toi, dans cette terre étrangère où tu n'as encore ni *hbibe* ni ami…

– J'ai quelques amis, ne t'inquiète pas.

– Heureusement. Mais rien ne remplacera la famille, n'est-ce pas ? Rien ne remplacera le lien du sang… Tu nous manques déjà, petit frère, ma mère dit que la maison est maintenant vraiment vide, elle est vraiment seule, Mustapha est toujours à l'extérieur et Abdelkébir est, comme tu sais, occupé avec sa femme. Ma mère va arriver ici, chez moi, d'une minute à l'autre. Elle ne peut plus rester seule à Hay Salam.

– Vous me manquez tous, vous aussi. C'est froid ici.

– Tu as pris le manteau d'hiver ?

– Oui.

– Tes amis s'occupent bien de toi ?

– Oui, très bien.

– Ne pleure pas. Un jour ou l'autre on part tous. Aujourd'hui c'est ton tour. Je sais que c'est difficile. Je sais qu'il faut des mois, voire des années, pour réaliser ce que signifie pour nous et pour les autres ce départ… Ne pleure pas… Sois un homme… Ne pleure pas. Tu manges bien ? Il faut beaucoup manger, surtout avec le froid qu'il fait là-bas.

– Latéffa !

– Oui ?

– Je n'ai presque plus d'unités. Embrasse tout le monde de ma part. Occupe-toi bien de notre mère… Dis-lui que je l'appellerai plus… »

Latéffa. La douce. Avant qu'Abdelkébir ne travaille, c'était elle qui aidait mes parents à subvenir à nos besoins. Elle fabriquait des tapis, elle était douée pour cela. Chaque samedi, durant plusieurs années, on était sûrs qu'on allait avoir un bon dîner : c'était le jour où elle recevait sa paie, elle donnait presque tout son argent à M'Barka. Latéffa a été la première à se sacrifier pour les autres. Elle a quitté la maison pour se marier avec un homme moustachu qu'elle aimait, El-Mahdi.

Latéffa est la seule de mes sœurs qui me fait pleurer. Sa voix est tellement tendre, tellement douce et chargée d'émotion que je ne peux que l'accompagner dans ses larmes quand elle se met à pleurer.

Latéffa me donne toujours l'impression d'être en contact

avec un autre monde. Elle a compris ce qui fait l'essence de la vie, elle a compris ce que sont l'amour, la souffrance, et déjà elle a pardonné à tout le monde. Latéffa, j'aurais fait plaisir à ma mère en me mariant avec une femme comme elle… si j'étais resté au Maroc. Je ne me serais pas forcé.

Latéffa, je lui mentais à elle aussi au téléphone, ce matin du 31 septembre à Genève. Un jour je lui dirais tout. Ma vie. Moi le cœur ouvert. Elle comprendrait, elle sait que c'est facile de juger les autres. Elle ne ferait pas pareil avec moi.

Latéffa, je suis sûr qu'elle m'accepterait comme je suis.

Latéffa : un jour je me sacrifierais pour toi. Tu te souviens de ce jour spécial entre nous, tout le monde faisait la sieste, nous étions tous les deux dans la cuisine, tu as fermé la porte à clé et tu m'as pris dans tes bras. Tu avais quelque chose d'important à me raconter. L'amour évidemment. Une histoire d'amour. C'était bien avant El-Mahdi. Il s'appelait Abdessalam et travaillait comme contremaître dans la petite usine où tu tissais des tapis. Tu m'as tout dit. Je t'ai écoutée religieusement. À la fin tu m'as de nouveau pris dans tes bras et tu m'as embrassé sur le front, puis sur les lèvres. Plus tard je t'ai aidée à aller à tes rendez-vous avec lui, on disait à M'Barka qu'on allait chez ta copine Najma. Tu as failli te marier avec lui. Il est venu demander ta main à nos parents qui ont beaucoup hésité avant de finalement accepter. Nous étions tellement heureux tous les deux. Mais ce bonheur n'a pas duré longtemps. La belle-mère d'Abdessalam a tout fait pour qu'il épouse sa propre fille, elle lui a jeté un sort, plusieurs sorts. Il n'est jamais revenu chez nous. Tu as pleuré des nuits et des nuits, le jour tu faisais comme si de rien n'était, il ne fallait pas que M'Barka sache que tu étais amoureuse de lui. Tu pleurais la nuit, je t'entendais, je ne pouvais rien faire pour t'aider, alors je pleurais avec toi.

Après avoir raccroché je sortis de la cabine téléphonique et courus vers les toilettes de la gare Cornavin. Je me remis à pleurer. De l'autre côté, à Rabat, j'imaginais Latéffa pleurant aussi, comme moi, pour moi. Personne n'était mort. Rien n'était mort entre nous. On pleurait pour ce qui allait plus tard mourir en nous, indépendamment de nous.

Genève n'était plus Genève. Le monde n'était plus le monde. J'étais soudain un autre. J'étais faible. J'étais fort, de ce lien avec Latéffa.

Je marchais sans savoir vers où je me dirigeais. J'avançais comme ça, peu importait où j'allais atterrir. Lorsque je repris connaissance en quelque sorte, je m'étonnai du lieu où je me trouvais : le parc des Bastions, magnifique et triste dans ses habits d'automne, et en face l'université de Genève.

Je suis allé voir la secrétaire du département de français, Denise. J'avais besoin de l'adresse du service des bourses et il n'y avait qu'à elle que je pouvais la demander. Elle m'accueillit froidement, me fit comprendre clairement que je la dérangeais. Son attitude, choquante, ne me faisait rien. J'obtins ce que je voulais. Je la remerciai trois, quatre, cinq fois peut-être. Jean lui avait visiblement tout raconté, je n'étais plus pour elle le petit Marocain qui découvrait l'Europe, je m'étais métamorphosé en petit démon, briseur de cœur, un arriviste, *une petite pute* finalement. Même pour elle, j'étais un autre. Pas celui que je pensais être, moi. Chacun avait son image de moi-même.

Le service des bourses se trouvait de l'autre côté de la place de l'Université, à Uni-Dufour. À la réception on m'indiqua le bureau de Mme Weinstein, qui s'occupait de mon dossier. Je savais qu'elle ne rentrait de vacances que le 1er octobre. Je venais tenter ma chance au cas où elle serait déjà de retour. Et elle l'était.

Son bureau respirait l'ordre et la propreté. Je m'attendais à être reçu par une Mme Weinstein froide, en complète adéquation avec son bureau, je me retrouvai devant une petite femme de 40 ans à peu près qui avait les cheveux courts et teints en rouge henné. Elle souriait, franchement, chaleureusement.

« M. Taïa ? Ah ! Le boursier de la Confédération ! Mais nous n'avons rendez-vous que demain… je me trompe ?

– Non, non, vous ne vous trompez pas… C'est que…

– Quoi qu'il en soit, puisque vous êtes là, entrez ! Et bienvenue en Suisse !

– …

– Dites-moi ! Dites-moi tout… Je veux tout savoir.

– Je suis arrivé hier, en fin d'après-midi.

– Comment s'est passé le vol ?

– Bien.

– Vous avez peur en avion ?

– Un peu.

– Moi aussi. Vous savez ce que je fais pour ne pas avoir peur en avion ?

117

– Que faites-vous ?

– Vous voulez le savoir ? Vous êtes sûr ?

– Oui, si cela ne vous dérange pas.

– Je bois de l'alcool. Je suis toujours saoule quand je prends l'avion ! »

Cette pseudo-confession fut suivie d'un rire tonitruant, exagéré, celui d'une femme hystérique déchaînée. Une folle. Était-elle vraiment Mme Weinstein ? M'étais-je trompé de bureau ?

« Vous êtes bien Mme Weinstein ? Janine Weinstein ?

– Oui, oui, c'est bien moi, et toujours aussi saoule... Hahahaha... »

Elle l'était en effet, je le réalisai tout à coup. Elle n'abusait pas de l'alcool qu'en avion, sur terre aussi visiblement, et dès le matin.

« Enchanté de vous rencontrer, madame.

– Enchantée... moi aussi... Appelez-moi Jo, comme tout le monde ici. »

Le téléphone sonna. Elle répondit en chantant presque : « Allô ! Allô ! »

J'avais l'impression d'être en face de la diva ridicule et attendrissante des aventures de Tintin, la Castafiore. Elle aurait entonné l'air « Je ris... de me voir si belle... si belle... en ce miroir... en ce miroir... », cela ne m'aurait pas surpris.

Elle ne chanta pas. Elle ne riait plus. Sa conversation

était sérieuse. Elle essayait d'être sérieuse, et cela lui demandait apparemment beaucoup d'efforts. Elle avait quelqu'un d'important au téléphone.

Dix minutes après, elle était toujours accrochée à son téléphone. Ma présence dans son bureau n'avait plus aucun sens. Elle regardait par la fenêtre, me tournant le dos, tout en répétant de temps en temps «bien sûr, bien sûr», «cela va de soi». Je compris de moi-même qu'il fallait que je sorte. Ce que je fis. Je l'attendis trente minutes encore à la réception. Comme je ne la voyais pas réapparaître, je demandai à la réceptionniste si elle était toujours en communication.

«Non, non, elle a fini, vous pouvez aller dans son bureau. Et puis ne vous inquiétez pas trop si vous remarquez quelque chose d'étrange… Elle est un peu spéciale.»

Au moment où j'allais de nouveau frapper à sa porte, celle-ci s'ouvrit avec violence. Un volcan en éruption.

«Je n'ai pas le temps de vous recevoir maintenant. Revenez demain, non, après-demain. Je dois prendre le prochain train pour Berne. C'est très urgent. Adieu!»

Je n'eus même pas le temps de répondre quoi que ce soit. Elle disparut vite, en courant dans les couloirs comme une folle en pleine crise.

8 août 1997. Le lendemain de mon anniversaire.

Je quittais le Maroc pour la première fois de ma vie.

Jean m'avait dit qu'il viendrait m'accueillir à l'aéroport. Il n'y était pas. Il avait envoyé à sa place un ami. Il s'appelait Charles. Jean nous rejoindrait dès qu'il pourrait, son train était en retard.

Le premier visage en Europe : Charles !

Il était gentil, doux, un peu lisse. Il me mit tout de suite à l'aise. « Je suis un des meilleurs amis de Jean, le meilleur peut-être... il faudra lui demander. » Il rit de bon cœur, et moi, faisant le bien élevé, avec lui. Puis, toujours gentil, il reprit : « Il m'a chargé de m'occuper de toi en attendant son arrivée. Veux-tu prendre quelque chose à la cafétéria ? »

Jean avait mis beaucoup de temps pour nous rejoindre. Charles en profita pour me poser mille questions sur moi d'abord, puis sur les circonstances dans lesquelles j'avais connu Jean, qui ne lui avait pas tout raconté. J'étais ravi de répondre, aussi longuement que je pouvais, ravi de parler, de communiquer. Je voulais plaire. Je faisais tout pour que ça marche.

Au fil des minutes, un sentiment de bonheur (ou quelque chose qui lui ressemblait) avait commencé à m'envahir le corps. J'étais en Europe ! En Suisse ! Et rien que cette idée de me trouver sur une terre étrangère, une autre terre que celle du Maroc, suffisait à me maintenir dans un état heureux, heureux comme un enfant au hammam avec sa mère, heureux et émerveillé comme un campagnard qui débarque pour la première fois de sa vie dans la ville.

« Tu as l'air jeune. Quel âge as-tu ? » Charles ne me crut pas quand je lui dis que j'avais 23 ans. Pour lui, j'en faisais cinq de moins. Il ajouta : « Cela risque de poser un problème avec Jean… On pourrait croire, à vous voir tous les deux dans la rue par exemple, que tu es… »

Il n'eut pas le temps de finir sa phrase, Jean était arrivé, enfin ! Le retrouver ailleurs qu'au Maroc avait quelque chose d'irréel. Je ne savais pas quoi dire. J'étais muet. Reconnaissant. Heureux. Troublé. Surpris aussi de le voir, de redécouvrir son aspect physique, ailleurs qu'au Maroc.

Et cette question – ces questions : m'aimait-il vraiment ? Que voulait-il de moi, au fond ? Qu'allais-je lui donner ?

Jean était arrivé très en retard mais il était arrivé : mon été suisse pouvait commencer.

J'ai passé deux mois chez lui à Genève. Août et septembre 1997.

Il nous a fallu du temps pour nous habituer à cohabiter, du temps pour que je trouve une petite place chez lui.

Jean n'était pas facile à vivre. Il était maniaque et avait des sautes d'humeur assez incroyables. Il s'énervait beaucoup, presque chaque jour, contre moi. Cela me terrorisait. Je ne répondais pas. Je ne pleurais pas. Il avait un point commun avec ma mère : de très fortes tendances dictatoriales. J'ai compris, les jours passant, qu'il n'était pas méchant, qu'il était lui aussi le fruit d'une certaine éducation et que c'était trop tard pour changer, le changer. Je n'étais pas chez moi, il fallait à tout prix s'adapter à lui, à son rythme.

Parfois j'avais peur : la Suisse me paraissait étrange comme pays, trop tranquille. Un pays insonorisé.

J'ai compris deux autres choses importantes durant ce premier voyage en Europe. D'abord, à quel point la fascination qu'exerçait sur moi la culture occidentale était réelle. Et ensuite, à quel point ce même Occident était une autre chose à vivre au quotidien, une autre réalité que celle que j'avais pendant des années imaginée à travers les films et les livres.

Je venais d'ailleurs : tout me le rappelait.

Jean voulait contribuer à ma culture, en me faisant visiter des musées et des galeries d'art. Il n'avait pas besoin de me forcer, j'avais moi-même envie, besoin, de tout voir, de tout découvrir. C'est avec lui que j'ai vu pour la première fois des tableaux de Picasso, Goya, Holbein, De Chirico… Des choses qu'on n'oublie pas. Jean laissait ainsi, jour après jour, son empreinte en moi, à jamais. Il influençait considérablement mes goûts et mes jugements artistiques. Je ne demandais qu'à apprendre. Il était professeur universitaire, et à côté de moi aussi, tous les jours. Il était brillant. Il était fascinant par sa grande capacité de voir au-delà des choses. Il avait besoin qu'on l'aime et qu'on l'admire en même temps. Je l'admirais profondément. Je l'aimais aussi, à ma façon.

Un jour, dans un restaurant, alors qu'il était allé aux toilettes, un homme élégant, un peu arrogant, d'une cinquantaine d'années, vint vers moi et me donna sa carte de visite sur laquelle il avait écrit : « Je paie bien. »

Ce que Charles avait voulu dire, c'était ça, la vérité amère était devant moi, face à moi, je ne pouvais pas l'ignorer. Charles savait que les gens allaient me prendre pour le petit mec que se payait Jean pour ses vacances. C'est ce qu'il voulait me dire, c'est ce qu'il allait me révéler quand Jean nous avait rejoints à l'aéroport. Pour beaucoup de monde, et le monsieur qui venait de me donner sa carte ne pouvait que me le confirmer, je n'étais que ça finalement, une pute, une petite pute. Circulant dans ce « nouveau » monde avec Jean, j'apparaissais aux yeux des autres comme sa chose sexuelle. Je ne pouvais être que ça. C'est lui qui payait après tout. Et, comme lui, tout le monde pouvait m'acheter.

Je ne pleurai pas. Les larmes n'auraient rien soulagé en moi. Je ne comprenais pas. Mais je prenais conscience de cette nouvelle réalité de moi-même qui me dépassait.

Au fond de moi : une fracture irrémédiable.

L'avion qui me ramena au Maroc, quelques semaines plus tard, était rempli de femmes marocaines qui se voulaient chic. C'étaient des prostituées de luxe. Elles venaient de finir la saison en Suisse, elles rentraient au Maroc en triomphe, les poches pleines, leur liberté, grâce aux francs suisses, enfin acquise. Là-bas comme ici tout s'achetait.

Il était presque midi.

Tout le monde mange à midi pile en Suisse. Je fis pareil, croquant lentement dans la barre de Mars qu'on m'avait donnée le matin à l'Armée du Salut. Bien sûr, ce n'était pas suffisant, mais l'idée que j'aurais un vrai dîner à la fin de la journée m'aida à supporter la faim.

Mme Weinstein était toujours dans mon esprit et je me rendis compte qu'elle m'avait fait sans le savoir beaucoup de bien. Je la trouvais amusante, atypique, loin, très loin, de l'image que j'avais des Suisses en général. Qu'elle soit un peu folle, un peu spéciale, comme disait la réceptionniste, me convenait parfaitement. Qu'elle soit sans doute hystérique ne me dérangeait pas non plus, au Maroc presque toutes les femmes le sont.

Le parc des Bastions, où je me suis de nouveau rendu après avoir vu Mme Weinstein, était vraiment beau par ce temps automnal. Il ne faisait pas froid et un soleil éclatant et doux éclairait cette partie de Genève. Aucun nuage ne venait changer cette lumière. Aucun souffle de vent. Il régnait un calme apaisant dans ce parc où les gens viennent se promener, lire, manger, dormir, admirer les sculptures des quatre réformateurs, draguer. Juste au milieu il y avait une petite fontaine. J'avais soif. J'allai vers elle pour boire, je penchai la tête et je constatai, dans un premier temps, qu'elle ressemblait aux très belles fontaines Wallace de Paris. Puis, dans un second temps, il apparut que c'était une fontaine Wallace, mais contrairement aux parisiennes, qui sont de couleur verte, elle était peinte en noir, et je me demandais bien pour-quoi ce changement de peau. Je fus heureux, vraiment heureux, durant quelques minutes, de la reconnaître, d'en voir une pour de vrai pour la première fois de ma vie. Je réalisais, à la contempler, que j'étais de nou-veau en Europe, et pour longtemps, dans mon rêve, pas vraiment loin de Paris. Je changeais de vie. J'allais deve-nir quelqu'un d'autre que je ne connaissais pas encore, j'allais rire, pleurer, m'instruire, aimer, décevoir les autres, me décevoir, commettre des erreurs, avancer mal-gré tout, construire quelque chose pour moi, rien que pour moi et plus tard pour ma famille, chanter, danser, être seul, être avec des gens nouveaux, paniquer, crier, faire l'amour, courir, mourir un petit peu, tomber, me relever, dormir, me réveiller, avoir très froid, attendre le retour du soleil, voir enfin la neige. J'allais surtout pouvoir voir des films au cinéma et non pas seulement lire des articles sur ces films comme au Maroc. J'allais écrire pour moi, pour les autres, ma vie, mon passé, mon avenir.

L'avenir en Europe, qui commençait pour moi à l'Armée du Salut, semblait si riche tout à coup à côté de cette fontaine Wallace noire. L'avenir loin, proche, et tellement excitant.

Je n'avais plus peur. J'étais dans un rêve avec les anges. Les anges de l'Armée du Salut.

J'étais absent.

Revenu à moi, je constatai que le parc était vide. L'heure du déjeuner était déjà passée et les gens étaient retournés à leur travail. Genève somnolait, avait envie de faire la sieste. Moi aussi.

Il ne faisait pas encore froid. Le soleil caressait toujours la ville de sa lumière douce.

Je m'allongeai sur un banc. Et je fermai les yeux.

Pour la première fois de ma vie je dormais dans la rue. Pas pour longtemps.

En me réveillant une demi-heure plus tard, mon corps était plus léger, soulagé de je ne sais quoi, confiant, de bonne humeur. Il voulait s'amuser, rester dans une certaine légèreté. Je décidai d'aller faire du lèche-vitrines.

Non loin de la gare Cornavin se trouvait un énorme centre commercial qui me fascinait, la Placette. On y trouvait tout, absolument tout. En chemin, je passai devant un cinéma qui annonçait la sortie prochaine du film d'André Téchiné avec Juliette Binoche, *Alice et Martin*, et la librairie Payot où je m'étais rendu à plusieurs reprises avec Jean la première fois que je lui avais rendu visite. L'une des entrées de la Placette donnait sur une jolie petite place avec, au milieu, une fontaine bien suisse qui me plaisait beaucoup – on aurait dit une maquette, elle n'était pas réelle.

Au rez-de-chaussée, il y a une immense boulangerie, la plus fascinante que je connaisse. C'est un endroit chaleureux, le plus chaleureux de Genève peut-être. On assiste à tout le travail du boulanger, toutes les opérations, rien n'est caché, c'est un spectacle, un théâtre, un souk où l'agitation et le bruit ne sont pas interdits. Cette boulangerie, avec ses odeurs qui donnent faim et ses nombreux boulangers tout de blanc vêtus, réconcilie d'emblée avec l'existence et le destin. Le bonheur, paraît-il, commence parfois avec un bon pain bien cuit. Que demander de plus ?

Jean m'avait acheté un jour un pull-over bleu à cette même Placette. Et avant de rentrer chez moi, à la fin de mon premier voyage à Genève, j'y avais acheté du chocolat suisse pour ma famille. Mon premier appareil photo venait de là aussi, c'était un autre cadeau de Jean.

Des détails de ce genre me revenaient à l'esprit au

fur et à mesure que je pénétrais dans cet immense centre commercial. Des détails qui ne me faisaient pas mal.

Au premier étage, cet après-midi-là, il n'y avait pas grand monde. Les rayons étaient bien fournis. Des vêtements, des meubles, des livres, des CD, des parfums… Il y avait tout pour avoir la vie qu'il faut, il suffisait d'avoir les poches pleines de francs suisses. Je passai d'un rayon à l'autre, fasciné malgré moi par cette opulence, curieux de tout, lisant les noms des articles exposés, des marques, rêvant naïvement au jour où je pourrais moi aussi m'acheter tout ce que je voulais. Dans ma tête je m'imaginais volontiers comme un consommateur effréné. Et heureux de l'être.

Je croisai des femmes tout de noir vêtues, des femmes du Golfe en *abbaya* et portant des parfums sucrés et très forts. Elles semblaient connaître parfaitement les lieux. Elles étaient comme chez elles. Elles prenaient tout leur temps, marchaient à pas de chat, traînant des derrières énormes, monstrueux, fascinants. Je les suivis un bon moment sans savoir pourquoi. Je voulais saisir quelque chose en elles, mais le noir de leur *abbaya* empêchait toute communication, tout contact.

Je les abandonnai au rayon des tissus et sortis de la Placette.

Il faisait encore jour.

De nouveau je devais décider où aller.

Au moment même où je me posais cette question, je me rendis compte qu'un homme me suivait depuis quelque temps. Il devait avoir la quarantaine. Il me fit signe de m'arrêter. Quand il m'eut rejoint, il me dit d'une voix froide, habituée à donner des ordres : « Suis-moi ! »

Où ?

Pourquoi l'ai-je suivi ? M'avait-il pris pour une pute lui aussi ? Sans doute. Il me plaisait physiquement, et c'est pour cette raison que je suis parti avec lui, en silence. J'étais curieux aussi. Curieux d'être dans la peau d'un prostitué.

Il me conduisit en silence dans un endroit que je n'avais pas encore découvert, non loin de la Placette, les pissotières. En y entrant je me rendis compte tout de suite qu'il régnait en ce lieu ce qui manquait ailleurs, dans le reste de Genève : la sexualité débordante et poétique.

Une dizaine d'hommes de tous âges étaient alignés devant les urinoirs et se regardaient la bite avec gentillesse. Cela me frappa beaucoup. Je n'étais pas choqué, c'était comme si je retrouvais de vieux copains. Ces hommes se désiraient sans violence, ils se touchaient le sexe avec une tendresse extrême, avec courtoisie. Ils vivaient dans ce lieu souterrain et sale une sexualité clandestine et publique à la fois. Ils se souriaient les uns aux autres comme des enfants. Ils ne parlaient pas. Leurs corps heureux le faisaient à leur place. Ils se masturbaient de la main droite et touchaient de la gauche les fesses de leur partenaire. Ces hommes n'étaient pas en couple, ils faisaient l'amour debout tous ensemble.

Mon homme de quarante ans, toujours autoritaire, ne me laissa pas jouir longtemps de cette scène où l'humanité des êtres en Suisse se révélait enfin à moi. Il me prit par le bras et m'entraîna dans les toilettes. Il ferma derrière lui la porte violemment et se mit aussitôt à genoux. Il ouvrit lentement, doucement, ma braguette, sortit délicatement mon sexe et le mit dans sa bouche pour le réveiller. Il suçait bien, tellement bien que j'en oubliai de me retirer pour jouir. Il avait l'air en extase : il avala mon sperme, tout mon sperme, en fermant les yeux. Puis il se releva, s'essuya les lèvres et le menton avec un mouchoir, m'embrassa sur le cou, les deux joues et les lèvres. Son odeur forte d'homme m'envahit alors tout entier. Je fermai les yeux à mon tour deux ou trois secondes pour bien l'identifier et l'enregistrer au fond de moi-même, dans mon ventre et mon cœur. Il plongea sa main droite dans la poche de sa veste et en sortit une orange. Une orange ! Il me la donna en disant, cette fois-ci avec une voix remplie de tendresse, épuisée de plaisir : « Merci ! Je passe par ici tous les jours vers 18 heures, sauf les week-ends. À demain ! »

Et il repartit.

Je restai un petit moment dans les toilettes pour me ressaisir, réaliser ce qui venait de m'arriver avec cet homme, jouir encore, après coup, de mon plaisir en mettant l'orange sous mon nez pour sentir son exquise odeur.

J'étais heureux, de ce plaisir, soulagé. Il ne m'avait pas pris finalement pour un prostitué. Je lui avais plu, il voulait goûter à moi, et c'était aussi simple que ça. Rien de plus. Un échange équitable de jouissance.

Comment savait-il que l'orange était mon fruit préféré ?

Ouarzazate.

Je ne connaissais pas vraiment le Maroc. Je connaissais Salé et Rabat. Un peu Tanger.

Jean m'avait permis de connaître autre chose dans ce pays, d'élargir la notion «Maroc», de rencontrer d'autres visages de ce pays enchanteur, comme disent les publicités.

La dernière fois qu'on s'est vus au Maroc.

Ouarzazate. Début février 1998.

On avait oublié nos tensions en Suisse. Nos différences. Nos querelles. Il n'y avait que le plaisir de se retrouver. D'être ensemble. Décidés à être heureux ensemble quelques jours dans le Sud.

Le printemps était en avance et les amandiers déjà en fleur, des amandiers grands, maigres, majestueux, épars. Je les voyais pour la première fois de ma vie : et leur beauté, encore plus forte dans ce paysage désertique et ocre, m'avait ému, touché profondément. Je n'avais pas cessé de dire et de redire cette émotion à Jean – chaque jour, presque une dizaine de fois par jour. Au bout d'un moment, il en avait marre, il me réprimandait alors, gentiment, sérieusement, et souvent je ne répondais pas, je le laissais dire, je ne le contrariais qu'à moitié, je savais, au fond, qu'il ne faisait que s'amuser, je l'amusais, et quelque part cela rendait ce dernier voyage au Maroc ensemble léger, vraiment enchanteur. Les casbahs qui se laissaient voir, admirer, un peu partout dans cette région, des casbahs petites, grandes, des chefs-d'œuvre d'architecture, des images-clichés du Sud marocain, nous avaient frappés aussi, fortement, intensément. Nous les visitions plusieurs fois par jour, en silence, en religieux, aimant tout d'elles et de nous en elles. Oui, la légèreté nous gagnait, nous rendait plus proches que jamais l'un de l'autre, nous étions l'un pour l'autre dans ce lieu loin de tout, loin de nos repères. Nous riions encore des mêmes choses. Et le soir, dans la chambre d'hôtel, nous faisions les fous, nous commentions les programmes de la télévision, puis nous faisions l'amour, longtemps.

La veille de notre départ, sur la chaîne TV5, nous avions regardé la soirée de la remise des césars. Le cinéma me fascinait, m'obsédait : Jean le savait, et dans cette obsession magnifique il me suivait volontiers, il m'écoutait racontant mes rêves de films, de stars, parlant encore et encore de celle que j'aimais le plus, Isabelle

Adjani, de sa beauté, de son talent, de ses origines, de ses films. Il n'appréciait pas spécialement cette actrice, mais pour moi, pendant que je l'évoquais avec ferveur, il était dans la même passion que moi pour elle.

À Ouarzazate, le printemps déjà là pour nous envelopper et nous rafraîchir, Isabelle Adjani nous accompagnait. J'étais son agent, son admirateur, son amoureux. Pour la première fois j'avais quelqu'un à qui parler d'elle. Par son écoute attentive et amusée à la fois, Jean avait été à la hauteur de ce rêve qui habitait ma réalité.

Ouarzazate, dix jours durant, a été notre roman d'amour heureux.

Je savais où aller finir ma journée : Michel Foucault m'attendait, avec d'autres, pour le souper à l'Armée du Salut. La soirée n'était pas loin.

En attendant ces retrouvailles, j'allai faire un tour dans la bibliothèque de l'université de Genève.

Dans le hall je croisai Jean Starobinski, le grand écrivain suisse, critique et professeur aussi. L'admiration que je lui portais était sans bornes. Il passa devant moi silencieusement, aucun bruit, aucun son ne venait de lui. Sa façon de marcher était discrète, tout son corps, si vivant et si jeune encore malgré l'âge, l'était également. J'avais envie d'aller vers lui, le toucher, lui parler, lui rappeler que Jean m'avait présenté à lui la première fois que j'étais venu à Genève. Je ne fis rien de tout cela. Je demeurai pétrifié, gêné, timide et ravi de cette coïncidence. Je le regardai passer devant moi sans me reconnaître, traverser le hall, s'arrêter devant la porte électronique, attendre qu'elle s'ouvre d'elle-même, la franchir et disparaître de mon champ visuel.

C'était un signe. Un signe positif auquel je m'accrochai de tout mon cœur. Starobinski. Un homme de livres. Un être généreux. Un passeur. Le dernier passeur littéraire peut-être.

La salle de lecture était presque vide. Quelques rares personnes y travaillaient dans un silence monastique. Ces personnes symbolisaient à mes yeux le rêve de tout étudiant, de tout littéraire : se passionner pour un sujet d'étude et trouver le lieu idéal pour y travailler, l'approfondir encore et encore ! Et cette bibliothèque était sans aucun doute un lieu plus que parfait pour assouvir sa soif, sa passion du savoir.

Je ne faisais que passer, revoir ces murs où j'allais à mon tour durant des heures étudier, me familiariser avec les rayons, l'atmosphère, les objets, les chaises et les tables, les lampes, avec aussi les visages des bibliothécaires. Et finalement avec la salle des fichiers.

Elle était vide. Elle semblait vide. Je me dirigeai vers les boîtiers « R » à la recherche de livres sur Jean-Jacques Rousseau.

Je me croyais seul dans cette salle. Soudain le bruit d'un boîtier qu'on refermait à l'autre bout me fit sursauter. Je levai les yeux. Un homme, loin, debout, me regardait fixement. Je ne distinguais pas clairement à quoi il ressemblait. Je baissai les yeux pour les relever aussitôt. Non, ce n'était pas possible, ça ne pouvait pas être possible. Pourtant, ça l'était.

L'homme qui continuait de me regarder était… Jean. Même en le reconnaissant, je n'arrivais pas à y croire.

Il avait changé. Non, il n'était pas devenu maigre, squelettique. Il portait désormais une barbiche, un peu ridicule et qui le faisait paraître plus âgé. Il avait vieilli, en seulement deux mois. Il semblait triste. Il était sous le choc.

Je l'étais aussi.

Je savais bien que j'allais inévitablement le revoir (comment pourrait-il en être autrement, il enseignait dans ce même département où j'étais venu poursuivre mes études), mais pas aussi vite, pas par hasard, pas ce jour-là, surtout pas ce jour-là.

Il continuait de me fixer du regard, incrédule.

Mes yeux se remplirent de larmes. J'avais envie de courir vers lui, me jeter dans ses bras, nous retrouver, pleurer contre lui, pleurer tous les deux, il passerait alors sa main dans mes cheveux comme il aimait faire avant. C'est moi qui étais parti, moi qui l'avais quitté pourtant, qui avais choisi de vivre loin de lui et pas si loin que ça… En le revoyant ce jour-là, si proche et si loin à la fois, je réalisais toute la tendresse et tout l'attachement que j'avais encore, et que j'aurais toujours, malgré moi, pour lui.

Il était petit de taille, et cela me surprenait comme si je ne l'avais jamais remarqué auparavant. Il était vraiment triste, et c'était normal.

Il venait vers moi.

Je lui criai: «Pas maintenant s'il te plaît, pas maintenant. C'est trop tôt… ou bien trop tard. Pas maintenant.»

Il s'arrêta net.

Je tournai le dos et courus vers la sortie.

J'ai couru longtemps.

Les rues de Genève étaient de nouveau vides et noires comme la veille. Les gens avaient fini leur journée de travail, ils étaient chez eux maintenant, dans leur cage, dans la chaleur du chez-soi, dans la solitude, devant leur télévision.

Après le souper je suis allé le voir. Il était à la réception en train de lire les dernières pages d'*Adolphe*.

«Je peux vous déranger un petit moment?…

– Dites-moi: de quoi s'agit-il?

– C'est peut-être un peu ridicule comme remarque… Je trouve que vous ressemblez beaucoup à Michel Foucault… le philosophe.

– Vous trouvez? Vraiment?

– Oui, oui, vous avez tout comme lui, même les lunettes.

– Est-ce un compliment?

– Pour moi, ça l'est. Michel Foucault était un grand écrivain, un homme admirable, courageux.

– C'est donc un compliment…

– Oui.

– Mais comment savez-vous que je suis un homme admirable et courageux ?

– Je ne sais pas… Vous avez l'air… vous avez l'air de quelqu'un à qui on peut faire confiance.

– Flatteur !

– C'est le sentiment que vous m'inspirez… une certaine sécurité, une protection contre…

– De quoi avez-vous peur ?

– Peur ?… De la vie… comme tout le monde.

– Non, tout le monde n'a pas peur de la vie.

– Vous croyez ?

– Oui… Tenez, là, les trois Russes qui étaient à votre table pendant le souper, ils ne semblaient pas du tout éprouver de la peur face à la vie. Ils avaient l'air fort.

– C'est peut-être trompeur… sûrement trompeur…

– Mais de quoi avez-vous peur ? Avoir peur de la vie, c'est précis et vague à la fois…

– J'ai peur de la mer où j'ai failli mourir un jour…

– Et encore ?

– J'ai peur d'avoir fait le mauvais choix… Je serais peut-être plus heureux chez moi au Maroc… Laisser à ma mère le soin d'écrire mon destin à ma place, la laisser tout faire comme d'habitude… comme toujours.

– Et qui vous dit que c'est entre les mains de votre mère que se trouve votre bonheur ?

– Simplement sa présence. Être avec elle, savoir qu'elle est là, pas loin. Cela rassure, même si on n'y pense pas.

– Le sevrage est dur au début, c'est bien connu. On s'habitue après, on s'habitue, on s'habitue à tout.

– Je ne suis pas d'accord…

– Ce n'est pas important que vous soyez toujours d'accord avec moi.

– …

– Et maintenant, puisque tu ne dis rien, va dormir, il est tard… Si quelqu'un me demande qui tu es, je peux témoigner, dire ton existence, la prouver même. Je ne suis pas Michel Foucault. Mais, comme lui, j'aime les livres. Va dormir. Laisse-moi finir *Adolphe*.

– À demain alors… Bonne nuit !

– Bonne nuit à toi aussi !… Ah ! Il y a une surprise pour toi dans la chambre. Tu ne seras pas seul. »

La surprise était tunisienne. Un garçon qui avait l'air gentil et doux était couché sur le lit du côté de la fenêtre et lisait une gazette de sport. Il prit la parole le premier.

« Bonsoir ! Je suis Samir de Tunis. Tu dois être le garçon marocain.

– Bonsoir ! Tu me connais déjà ?

– C'est grâce à l'homme à la réception.

– Je m'appelle Abdellah.

– Enchanté… Il avait raison.

– Raison à propos de quoi ? Qu'est-ce qu'il t'a dit ?

– Oh ! Rien, rien… Il a juste dit qu'on se ressemblait, toi et moi. Et je trouve qu'il a raison. On dirait que tu es mon petit frère… Tu es arrivé quand ?

– Hier. Et toi ?

– Ce matin. Et j'ai l'impression que je sais déjà parfaitement comment fonctionne la société suisse.

– Comment ?

– Cet après-midi, je me promenais dans les rues du centre-ville en attendant l'heure d'ouverture de l'Armée du Salut… J'ai tout de suite remarqué que tout ici est très ordonné, pensé, réfléchi, rien n'est laissé au hasard. Même pour traverser la rue il y a un bouton qui allume un petit bonhomme. J'ai vu plusieurs personnes appuyer dessus. Alors j'ai voulu les imiter, commencer tout de suite à respecter les lois de ce pays. Voici la scène : pour les voitures, c'était feu rouge, et curieusement, pour les piétons, le petit bonhomme restait éteint. Pour le faire passer au vert, j'ai appuyé une première fois. Rien. Une deuxième fois. Rien. Il dormait sans doute, ai-je pensé. Je ne comprenais rien, personne ne pouvait bouger, ni les piétons ni les automobilistes. Énervé, j'ai appuyé une troisième fois, puis une quatrième… et une cinquième… Toujours rien, à mon grand désespoir. Soudain, de l'autre côté de la rue, une grosse bonne femme s'est mise à hurler : "Eh ! Vous ! On n'appuie qu'une fois et on attend. Vous n'êtes pas au bled ici." J'avais honte. J'ai baissé la tête en imaginant les gens à côté de moi en train de rire de ma bêtise, de mon ignorance. La grosse bonne femme, en traversant la rue, quand le petit bonhomme a enfin daigné nous donner l'autorisation de traverser, m'a crié encore une fois la même remarque, ou presque. Je l'ai laissée faire et j'ai compris qu'ici, dans ce pays de riches, chaque citoyen est un flic. Autant s'y habituer dès maintenant. Je te préviens.

– Bienvenue en Suisse.

– Merci ! »

Avant de me mettre au lit et d'abandonner mon corps rassuré et chaud au sommeil, j'ai sorti l'orange de la poche intérieure de mon veston, où je l'avais cachée précieusement.

« Ça te dit de partager cette orange avec moi ? »

C'est moi qui étais en retard cette fois-ci. En retard d'une journée.

La France juste à côté fêtait bruyamment la victoire de son équipe de football qui venait de gagner la Coupe du monde, et c'était insupportable. Tout un pays heureux ! Voilà qui était déprimant. La joie collective est toujours un peu forcée, toujours insatisfaisante, toujours fatigante.

J'avais envie de pleurer. Depuis une semaine. Chaque nuit.

Cinq mois après Ouarzazate et son bonheur j'étais pour la deuxième fois de ma vie à Genève.

Dès mon arrivée, l'enfer s'est installé de nouveau entre nous. Jean, moi, l'enfer et l'été qui ne faisait que commencer.

Couché à côté de Jean, dans son appartement de Genève, je ne dormais pas. Lui, par contre, ronflait déjà. Les larmes ne voulaient pas venir. Ne viendraient pas.

C'était la fin. C'était écrit. Je n'avais pas pleuré. J'étais sec, dans la sécheresse, dans un certain égoïsme, moi, moi, moi…

Les larmes auraient pu m'attendrir, me permettre de faire un geste, un pas, une main qui se tend vers lui, Jean, cet homme suisse endormi, soudain un inconnu, un étranger, de le réveiller, le prendre dans mes bras. Tous les problèmes n'existeraient plus, le conflit disparaîtrait, lui et moi de nouveau connectés, liés, dans une certaine idée de l'amour.

Elles ne venaient pas, ces larmes. J'ai prié pour qu'elles viennent. Puis j'ai prié pour qu'elles ne viennent pas.

Jean : je lui en voulais. Je le détestais. Je ne lui parlais plus de rien, ni de moi, ni de mes rêves, ni de ma famille, ni de Paris qu'il n'avait jamais vraiment aimé de toute façon.

J'étais seul, abandonné, et pourtant il était juste à côté. J'avais peur, aussi. De lui. De tout avec lui.

Au tout début, à Marrakech : il m'avait parlé de liberté, de ma liberté auprès de lui. Nous serions amis, pas des esclaves l'un pour l'autre, m'avait-il dit. J'étais plus jeune que lui, et il était normal que je profite de la vie et de ses plaisirs. À mon âge, il avait fait pareil : jouir de la vie. C'est ce qu'il pensait. Nous étions vraiment libres.

La liberté : ce n'était qu'un mot finalement. Je n'étais pas libre. J'en prenais tout à coup conscience, de façon brutale, traumatisante.

Ce deuxième séjour en Suisse a été court. Très court et très intense. Un mélodrame de Douglas Sirk. Je vivais un moment de rupture plus fort que moi, je prenais consciemment, et en toute inconscience des conséquences, une décision radicale. J'étais comme ma mère : je ne savais pas discuter. Trahi, je devenais muet. Face au silence de Jean j'étais un gouffre, un abîme, non existant. L'ombre de moi-même. Déjà loin, ailleurs. Je ne pouvais rester.

Mon grand frère Abdelkébir m'avait donné de l'argent pour revenir voir Jean à Genève. J'avais voyagé trois jours en train : Rabat-Tanger, Tanger-Algésiras, Algésiras-Madrid, Madrid-Hendaye, Hendaye-Paris, Paris-Genève.

Je venais vers Jean heureux.

Sur le bateau qui reliait Tanger à Algésiras, j'ai rencontré Matthias l'Allemand et Rafaël le Polonais. Ils avaient mon âge, 23 ans. Ils voulaient visiter en une journée Tanger mais, à cause de la nationalité de Rafaël, qui avait besoin d'un visa pour entrer au Maroc, la police marocaine les avait refoulés. Matthias aurait pu y aller tout seul, comme le lui avait suggéré Rafaël ; il avait préféré rester avec son copain, se priver de Tanger pour lui.

Je n'allais pas tarder à m'en rendre compte : Matthias était éperdument amoureux de Rafaël.

Sur le bateau, on s'est longtemps observés. Souri. Sans se parler.

Matthias avait l'air timide. Il ne parlait presque pas.

Rafaël était outrageusement beau et sexy : il le savait et en jouait. Il avait une bouche incroyablement grande qui résumait tout ce qu'il était dans la vie : gourmand, insatiable.

La nuit, dans le train qui nous emmenait à Madrid, nous avons fait connaissance. Nous parlions en anglais en mangeant des sandwichs au thon. Nous avions un compartiment pour nous, rien que pour nous trois. Nous avons parlé longtemps. Vers minuit, au moment où il fallait dormir, comme ça, sans avoir rien décidé, il faut croire que nous n'attendions que ça, nous nous sommes déshabillés et, nus, nous avons commencé à faire l'amour, tous les trois.

Nous n'avons pas dormi. La nuit chaude nous maintenait éveillés pour l'amour et ses joies.

Nous étions heureux. Jeunes et heureux. La terre d'Espagne comme cadre de nos élans et de notre partage. L'Espagne, terre de certains de mes ancêtres, où je mettais les pieds pour la première fois de ma vie. L'Espagne encore arabe quelque part, malgré les siècles et les destructions.

Une heure avant d'arriver à Madrid, où je devais normalement changer de train, Rafaël m'a proposé de rester avec eux un peu plus, une journée de plus. Une journée et une nuit à Madrid !

Je ne connaissais pas la capitale espagnole.

J'ai accepté.

J'ai changé mon billet de train sans aucun problème.

J'ai laissé un message sur le répondeur de Jean pour le prévenir que j'arriverais à Genève avec un jour de retard et que je lui expliquerais pourquoi quand je le verrais.

Rafaël était parti chercher une auberge de jeunesse pas loin du centre-ville.

Matthias et moi, nous l'avons attendu deux heures à la gare. Deux heures pour mieux nous connaître. Deux heures pour se lier encore plus et à jamais. Deux heures au bout desquelles Matthias a craqué.

Matthias pleurait.

Je lui tenais la main. Je ne savais pas quoi lui dire. Je savais pourquoi il pleurait.

Il était amoureux de Rafaël qui n'était pas amoureux de lui. Il le voulait rien que pour lui. Rafaël voulait tout le monde : et tout le monde voulait Rafaël.

Rafaël était un ange, un démon, un amant merveilleux, un manipulateur, excentrique, un être fragile, égocentrique, cruel, innocent, pervers… Rafaël était surtout très beau.

Matthias était prêt à tout faire pour lui. Même se marier avec lui. Rafaël restait avec Matthias mais sans l'aimer vraiment d'amour, il l'aimait bien, c'était tout. Il avait besoin de Matthias pour les papiers. Immigré à Munich, il lui fallait quelqu'un pour l'aider à obtenir un titre de séjour, à trouver du travail. Il avait besoin d'un endroit où dormir aussi. Matthias faisait tout pour lui, par amour pour lui. Et cet amour non partagé et cet objet d'amour si proche au quotidien étaient un bonheur et une immense souffrance pour le Munichois.

Touché par cette souffrance, j'ai pris Matthias dans mes bras. Il a alors pleuré un bon moment, comme un enfant. J'ai essuyé ses larmes avec un grand mouchoir blanc brodé, que m'avait offert un jour ma mère, en lui faisant la promesse de ne jamais le laver. Son amour pour Rafaël avait quelque chose de fort, pur, sacré.

Celui qui aime a-t-il tous les droits ?

La réponse est, peut-être, non. Mais l'amour, quand il est à ce point habité et rare, mérite nos prières et notre indulgence.

J'ai aimé Madrid. J'ai aimé être dans l'amour de Matthias. J'ai aimé être entouré de deux corps nus et chauds, quatre mains qui me caressaient. Je me suis donné à eux, dans l'après-midi, dans la nuit, au petit matin. Je ne me souviens de personne, sauf d'eux avec moi dans cette ville, me guidant, orientant mes pas, me souriant. J'étais dans le secret de leur relation, de leur cœur. J'étais eux. J'étais pour eux. Et tous les trois, dans cet amour sensuel et sexuel, nous étions des frères de sang et de sperme, loin de nos frontières.

Dès que j'ai retrouvé Jean à Genève, je me suis empressé de lui raconter ma belle aventure, tout, tout, je lui ai dit tout de cette rencontre sur la route, mon plaisir, mon émotion, mes commentaires aussi sur cet amour. Ma joie d'avoir retrouvé avec Matthias et Rafaël une certaine sexualité que j'avais eue durant mon enfance et le début de mon adolescence. Le sexe en groupe.

Je devais être débordant d'enthousiasme, trop sans doute, ravi de cette belle chose de la vie qui venait de m'arriver.

Jean est devenu quelqu'un d'autre, juste après le récit de mon voyage.

La jalousie ?

J'avais en face de moi un autre Jean. Ses défauts se sont exacerbés. Il était maintenant acariâtre. Possessif. Grincheux. Rabat-joie. Insultant. Avare. Silencieux. Insultant.

Il m'ignorait. Je n'existais plus pour lui et, pourtant, je

dépendais de lui plus que jamais. Il payait pour tout. Il me le rappelait sans cesse.

J'étouffais. Jean ne savait faire qu'une chose : se recroqueviller sur lui-même, accentuer l'expression de la douleur sur son visage et n'ouvrir la bouche que très rarement pour dire des mots assassins.

Au bout de quelques jours, je n'essayais plus de le comprendre, de comprendre son amour, sa façon d'aimer, je ne ressentais que ma propre souffrance. J'étais dans une prison, de plus en plus dans une prison.

La liberté en Occident ? Quelle liberté ?

Un matin, je me suis réveillé tôt, bien avant Jean, et je lui ai écrit une longue lettre où j'expliquais à quel point vivre ainsi avec lui était au-delà de mes forces. Je ne comprenais rien. L'amour était certes compliqué, mais je ne le comprenais toujours pas, surtout quand il prenait ces couleurs sombres et ce silence vertigineux. Non, je ne pouvais pas rester. Il me fallait partir, aller ailleurs, respirer, trouver un sens à tout cela, et surtout penser à ma vie future. Ce qu'on avait vécu ensemble au Maroc et en Suisse resterait à jamais fort et vivant en moi. Il serait pour toujours le premier, l'initiateur, le maître qu'il faut un jour dépasser. L'idée même de l'amour ?

Charles, l'ami de Jean, m'a prêté de l'argent pour rentrer au Maroc.

Je savais que deux mois plus tard je retournerais à

Genève pour terminer mes études, quitterais pour longtemps le Maroc.

Charles a promis de venir m'accueillir à l'aéroport de
Genève le 30 septembre.

Au Maroc, un mois avant ce nouveau départ, Marc, un
ami à moi professeur au Lycée français de Rabat et que
Jean connaissait un peu, a reçu de celui-ci une lettre pour
le prévenir de ma « mauvaiseté », il fallait faire attention :
Abdellah n'était finalement qu'une petite pute, comme
il y en a tant au Maroc, un arriviste sans scrupule, un mal
élevé, un con, un ingrat. Un être noir. Un briseur de cœur.
Un pauvre type égoïste qui ne méritait pas qu'on s'intéresse à lui. Un monstre.

Voilà les mots me décrivant que j'avais en tête au
moment où je prenais l'avion pour Genève, pour cet
autre monde, froid, où une bataille à livrer n'attendait
que moi pour commencer. Je croyais que venir vivre en
Europe serait la fin de l'attente et des batailles intérieures.
Je me trompais. J'allais évoluer longtemps encore dans
le noir. Il me faudrait très vite prendre des décisions radi-
cales et immédiates, choisir mon camp, m'éloigner de
plus en plus des gens que j'aimais, arrêter une fois pour
toutes de pleurer, gérer les angoisses et les crises de
panique. Oublier le repos. Réapprendre à aimer. Donner

un nouveau rôle à Jean sans le laisser envahir ma vie. Me construire dans le doute. Avancer seul. Être heureux seul. M'évanouir fréquemment. Décider de boire ou non du vin, de manger ou non du porc. Revoir petit à petit ma vision de la culture arabe, des traditions marocaines et de l'islam. Me perdre complètement pour mieux me retrouver. Constituer enfin, le matin d'un jour gris et de grand froid, une armée pour mon salut. Cela ne se ferait pas du jour au lendemain. Au début de la Grande Bataille, les anges, fidèles (musulmans ?), seraient là, de mon côté. Puis ils m'abandonneraient lâchement. Entre-temps, je serais devenu plus fort, mais plus maigre, et mon rêve d'être un intellectuel à Paris serait peut-être une réalité.